経済学×社会学で
社会課題を解決する

日本の未来、本当に大丈夫なんですか会議

西田亮介　安田洋祐
Ryosuke Nishida　Yosuke Yasuda

日本実業出版社

はじめに

本書は、ビジネス、政治、教育そして社会学についての4つの会議を装って構成されている。これは著者であるぼくと安田さんが仕事としてきた分野であり、得意分野でもある。ぼくが問題の所在や通説について取り上げて紹介し、安田さんが説明しようとし、さらに質問を重ねて議論が深まり、広がっていく。本書は全編にわたってそんな構成になっている。

さて、同じ研究者、大学の教員とはいえ、分野が違えば分析方法や概念、論文の作法も相当異なる。それだけに「社会科学の王さま」といわれる経済学、それも同世代のリーダー的存在で、学界のみならずコメンテーターや、最近は事業も手掛ける安田さんと本を書くというとき、一抹の不安がなかったといえば嘘になる。

安田さんとの出会いはもう10年以上も前のこと。アメリカから帰国直後の安田さんと同席して感じた切れ者っぷりは輝かしいまでだった。いまだ地歩を固められていなかったぼくが刺激を受けたのはいうまでもないが、嫉妬を感じなかったといえばこれも嘘になるだろう。

その後、しばらく同席する機会はなかったが、２０１９年、サントリー文化財団の学際的な研究会で再会した（その成果の一部は、『「２０３０年日本」のストーリー』（牧原出編　東洋経済新報社、２０２３年）として刊行）。そこでは血気盛んな世代（?）代表というわけでもないだろうが、我々のどちらかが議論の口火を切ることが多かった。

安田さんはいろいろな議論に合わせるやわらかさとともに、抜群の瞬発力と議論を盛り上げる力を持っていた。それはサッカーで鍛えた身のこなしを彷彿とさせるものであった。同時にぼくにも余裕が生まれていた。多様な仕事を重ねていくなかで嫉妬心を抱くこともなくなり、議論を楽しめるようになっていた。結局、「人は人、自分は自分」というだけのことなのだが、そう思えるまでにはずいぶん時間がかかった。確かに安田さんはグローバル・エリートだが、ぼくも東工大や東大から日大までさまざまに、そしてあまり類例のない形で教鞭を取り、別の役割を担っていると思えるようになっていた。

それにしても、我々が頻繁に議論の口火を切ったこともあって研究会メンバーもぼくたちの対比をおもしろがった。もちろん性格やキャリアの違いもあるだろうが、バックグラウンドのギャップも関係するのではないかと考えるのに時間はかからなかった。

モデルが先行し、合理性に関する分析では抜群の切れ味をみせるミクロ経済学と、記述や歴史、思想との関わりも深い社会学の距離は決して近くはない。そのことについて、我々は当時も、本書においてもよく話し合ったが、とても楽しい体験だった。互いに論破する必要もなく、異分野の専門家と敬意を持って議論をすることがこれほど愉快な体験だったとは！

本書では、紙幅の関係から、両者の得意分野を中心とする話題と論点を選りすぐってお届けしているが、そのほかにも長時間にわたる多くの議論があった。現実の問題解決につながるかどうかはさておくとして、これまで考えもしなかった論点が見つかるのではないか。それは一体どんな論点か、ぜひ読者の皆さんも頭をひねってみてほしい。

もし具体的に実務に役立つ視点があるとすれば、望外な喜びである。そうした気づきを広く提供することもまた、きっと現代の大学教員の役割のはずだからだ。

本書自体が我々の知的冒険のまだまだ序章に過ぎないはずなのだが、まずは読者諸兄姉とここまでの議論と楽しみを共有したい。

2024年5月　西田亮介

日本の未来、本当に大丈夫なんですか会議　目次

はじめに ……［西田亮介］2

第1会議　日本の「経済」大丈夫なんですか？を考える

伸び悩む日本の生産性 ……［安田洋祐］12
従来の産業構造をそっくりそのまま残す日本の産業界の謎 ……［西田亮介］16
労働生産性を上げることで現状の問題は解決するか ……［安田洋祐］24
雇用形態という「足かせ」と「イノベーティブだった時代」の齟齬 ……［西田亮介］30
問題は日本型雇用習慣ではなく習慣の崩壊 ……［安田洋祐］34
「日本だけできていない」ではなく「アメリカだけできている」 ……［安田洋祐］39

雇用を創出するという日本企業の謎の信念……〔西田亮介〕42
経済指標に表れないが重要な価値……〔安田洋祐〕45
リモートワークは生産性に影響を与えたか……〔安田洋祐〕48
COLUMN プラットフォーム規制と「外部性」……〔西田亮介×安田洋祐〕57
After discussion 01 木を植える社会学・森しか見ない経済学……〔安田洋祐〕72

第2会議 日本の「政治」大丈夫なんですか？を考える

第1部 政治とカネの問題をなぜ繰り返すのか
〝悪質〟な令和の裏金事件「パーティ券」問題……〔西田亮介〕76
インセンティブと情報の非対称性を考える……〔安田洋祐〕86
政治家にとっての「カネ」と「票」……〔西田亮介〕100

1990年代の壮大な社会実験 ……【安田洋祐】103
選挙制度の改革で減った金権政治 ……【西田亮介】106
長年保たれてきた裏金と政策の「よくない均衡」 ……【安田洋祐】110
政策の画一化の先にあるもの ……【安田洋祐】119
進む政治の原理主義化 ……【西田亮介】124
COLUMN 野党結集の道筋はあるのか ……【西田亮介×安田洋祐】127
ゲームチェンジャーになり得る政治家はいるのか ……【西田亮介】134
結局、答えは1つになっていく ……【安田洋祐】136

第2部 投票とコストのインセンティブ

「1票の価値」を経済学で考える ……【安田洋祐】140
経済的なインセンティブに代わるもの ……【西田亮介】146
COLUMN まったく有効でない「白票」を人はなぜ投じるのか ……【安田洋祐】149
COLUMN さまざまな投票の可能性 ……【西田亮介×安田洋祐】152
選挙の集合知を政治に反映する ……【安田洋祐】163
After discussion 02 「ダメな政治」をどう見るか ……【西田亮介】167

第3会議 「日本の「教育」大丈夫なんですか？」を考える

下がる日本の知的生産のクオリティ［西田亮介］170
ゆるくなる大学受験と加熱する中学受験［安田洋祐］174
中学受験の根元にある公教育への不信感［西田亮介］182
公教育への不信感と受験制度の問題点［安田洋祐］185
受験制度の改革は可能か［安田洋祐］189
COLUMN 増える学費負担問題は解消できるか［西田亮介］195
教員不足は解消できるか［安田洋祐］198
「教職の重要性」が失われている［西田亮介］201
COLUMN 主権者教育をしていないから主権者が育たない？［西田亮介］208
教育における格差問題を考える［安田洋祐］212
大学の女性比率を増やす方法［安田洋祐］221
After discussion 03 経済学と学力研究の意外な関係［安田洋祐］225

第会議

「経済学」と「社会学」で考える

「現実」の輪郭を描写し、確定させようとする社会学 ……〔西田亮介〕228
個人のインセンティブに還元する経済学 ……〔安田洋祐〕237
社会科学における経済学と社会学 ……〔西田亮介〕241
COLUMN 実はネットワーク分析から始まった ……〔西田亮介〕246
数理的な分析に偏っていた日本の経済学 ……〔安田洋祐〕248
COLUMN 経済学者は未来を予測できるか? ……〔安田洋祐〕254
ディシプリンの可能性と有限性 ……〔安田洋祐〕258
ディシプリンのメリットと外れ値の許容が意味するもの ……〔西田亮介〕262
After discussion 04 奇妙でおもしろい社会学の魅力 ……〔西田亮介〕265
おわりに ……〔安田洋祐〕268

装幀▷新井大輔(装幀新井)/本文デザイン▷小林祐司
写真▷いしはらだいすけ/文字校正▷槇一八
編集協力▷齋藤康敏/本文DTP▷ダーツ

第1会議

日本の「経済」大丈夫なんですか？を考える

伸び悩む日本の生産性

YOSUKE
YASUDA

日本のビジネスの課題という場合に、まず考えざるを得ないのが「生産性の低さ」ではないでしょうか。

2023年9月に厚生労働省が発表した『令和5年版労働経済の分析』(労働経済白書)によると、日本の1人当たりの労働生産性は1996年以降ほぼ横ばいで、ほかの先進諸国に比べて伸び悩んでいます。労働生産性の低さは労働者の賃金の低さにもつながり、早急に改善したい課題といえます。

日本と世界の労働生産性比較

日本の労働生産性は
海外に比べて伸びていない

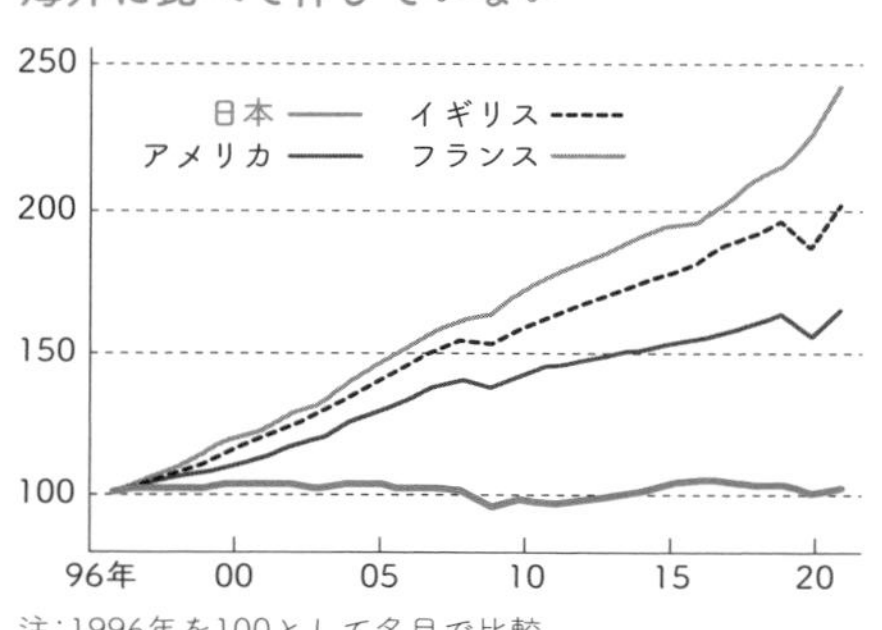

注:1996年を100として名目で比較
「令和5年版 労働経済の分析」(厚生労働省)より作成

また、スイスのＩＭＤというビジネススクールが毎年公開している「世界競争力ランキング※」で、日本は２０２３年度、対象となる64の国と地域のなかで35位でした。順位は年々下がっていて、過去最低です。

同じＩＭＤが「世界デジタル競争力ランキング」も公開していますが、こちらも64の国と地域のうちで32位。やはり過去最低になっています。全体の順位も気にはなりますが、個別ランキングを見ると組織や部門に問題があることがわかります。

まず「世界デジタル競争力ランキング」において、日本の順位が高いもの、全体で２位だった個別項目が２つあり、１つは「世界での産業ロボット供給」です。ハード面では、やっぱり日本は強いんですね。

もう1つは「無線ブロードバンド」。これも2位です。通信インフラも整っています。何となく納得がいきます。

一方、低いものは何かというと、全部で64の国と地域中、62位が「機会と脅威に対する企業の対応」。脅威が発生したときに組織がいかに対応できるか、これが62位。**対応できていないです。**

次に「デジタル　技術的スキルの可用性」は63位で、下から2番目。下から2番目もよ

※IMDランキングについて、同志社大学の村田教授とぼく（安田）が考察しています。考察を深めたい場合にぜひ参照してください。
対談【村田晃嗣×安田洋祐】国際競争力を考える
https://www.kepco.co.jp/corporate/report/yous/10/dialogue/article1.html

世界デジタル競争力ランキング（2023年度）

日本の総合順位は**32位**（64カ国中）

日本の順位が高い項目

項目	順位
世界での産業ロボット供給	2位
無線ブロードバンド	2位

通信インフラが整い
ハード面では強い

日本の順位が低い項目

項目	順位
機会と脅威に対する企業の対応	62位
デジタル　技術的スキルの可用性	63位
ビッグデータとアナリティクスの活用	64位
企業の俊敏性	64位
上級管理職の国際経験	64位

人と組織の問題が
競争力を下げている！

ろしくないですが、**なんと最下位が３つもあります。**

「ビッグデータとアナリティクスの活用」「企業の俊敏性」「上級管理職の国際経験」の３つです。

日本のランクが高いものと低いものを対比するだけでも、日本という国はハード・インフラ系は強いことが見えてきます。日本はそれをちゃんと整えるということです。

反対に低いのは人の経験値や組織の対応力、**人と組織の問題が、競争力の足を引っ張っていることがうかがえるわけです。**

ただ、ここで注意が必要なのは、日本の産業すべてにおいて生産性が低いわけではないということです。

たとえば次ページに掲げた「法人企業統計

企業規模別に見た、従業員1人当たりの労働生産性の推移

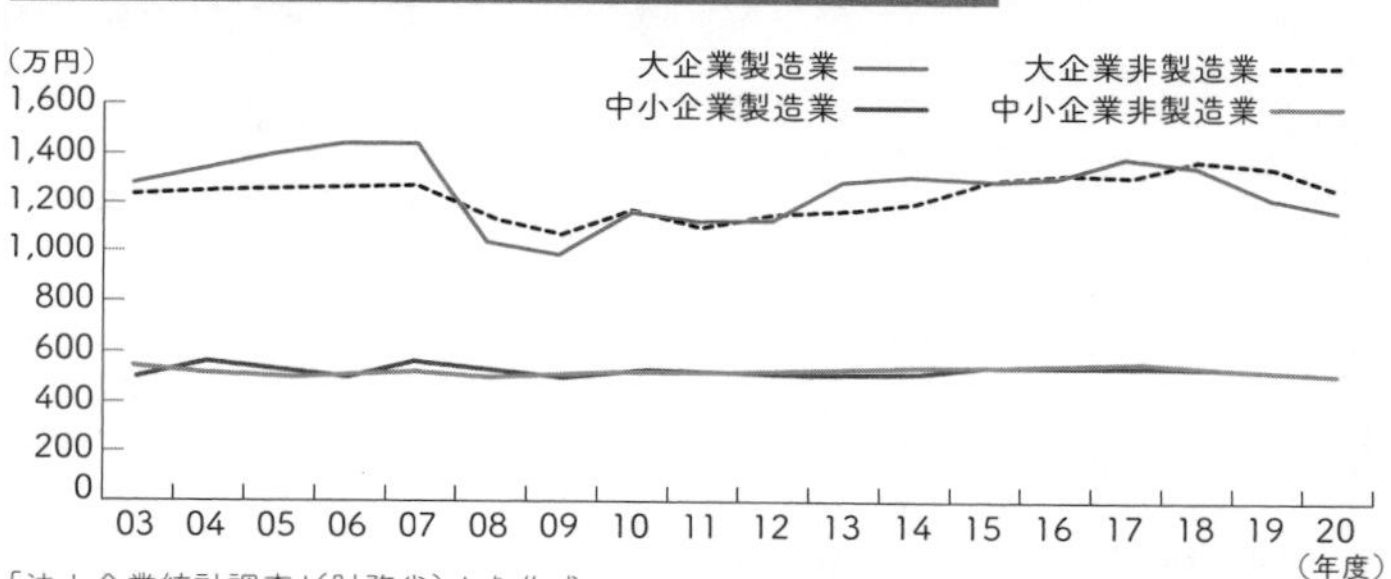

「法人企業統計調査」（財務省）より作成
注1：ここでいう大企業とは資本金10億円以上、中小企業とは資本金１億円未満の企業とする。
注2：平成18年度調査以前は付加価値額＝営業純益（営業利益－支払利息等）＋役員給与＋従業員給与＋福利厚生費＋支払利息等＋動産・不動産賃借料＋租税公課とし、平成19年度調査以降はこれに役員賞与、及び従業員賞与を加えたものとする。

調査」（財務省）のデータによると、日本では中小企業の労働生産性が低くなっています。これについては、コンサルティング業務などを通じて感じたぼく自身の経験としても、人と組織の問題が大きい気がします。

世界的に見ると日本企業は人の経験値や組織の対応力が低い。日本の大企業と中小企業では、中小企業のほうが労働生産性が低い。

これらを踏まえると、**日本の組織がある種の非効率性を生んでしまっていると考えられます。**その非効率性は法律だったり、いままでの労働慣習、人事のあり方などにも依存しているはずです。

本章では日本の労働生産性の低さの原因たる、人と組織の問題、そして産業界全体の構造について考えてみましょう。

従来の産業構造をそっくりそのまま残す日本の産業界の謎

RYOSUKE NISHIDA

いま、安田さんからご指摘があったなかでも中小企業の労働生産性の低さについて、歴史を振り返ってみましょう。

ぼくは実は昔、たまたま中小企業基盤整備機構という中小企業関係の機関（独立行政法人）で働いていました。ですから社会学が専門でありながら、芸は身を助けるというべきか、それなりに中小企業政策にはくわしいのです。

あまり意識されていませんが、日本の中小企業政策は「中小企業基本法」という法律を中心に規律され、スタートアップから商店街振興とファイナンス、産学連携、まちづくりまでをカバーする幅広い分野をカバーします。ちなみに、中小企業基本法はセーフティネット的で事業者のみならず経営者を手厚く守る仕組みになっていて、生産性向上に寄与するような仕組みに乏しく、十分な成果を挙げていないことを述べておきます。※

※多くの指標で中小企業の生産性は大企業に大きく劣後し、その一方で、労働分配率は極めて高いのが現状です。

また、１９９０年代末に理念の転換を行なったはずなのですが、実効性が伴っていないためか、理由はともかくとして、成果はあまりなく、中小企業が置かれた状況はおおむね従来通りです。

中小企業はなぜ変わらないのか？

大前提として、長い期間にわたって政府も「中小企業の生産性を上げる」ことを必要と考え、介入しようとしてきました。少し前ならＤＸ、いまもＡＩだなんだと喧しいわけですが、ずっとやっています。

振り返ると、１９９０年代の終わりに中小企業基本法の抜本改正が行なわれて、一応、市場競争を促進するなど「競争的な性質を強くする」という目的が明示されました。

しかし、法律が変わっても中小企業の現場にいる人たちが変わったりするわけではありません。経営者も、支援者も、資金を提供する側も同じ。ですから、ただちに大きな変化はありませんでした。そもそも民間の（中小）企業の振興に「国や公共団体の責務」は必要でしょうか。

２０１０年代には、小規模企業振興基本法が新たに定められたものの、ＩＰＯ（新規上

中小企業改革の歩み

年	事柄	目的
1963年	中小企業基本法制定	経営の革新・創業の促進、経営基盤の強化など
1999年	中小企業基本法の抜本改革	二重構造の是正
2014年	小規模企業振興基本法公布	競争的性質を弱めて「持続的発展」を促す

救済型から自立支援型へ

また救済型へ？

場）の数は増えず、商店街は廃れるばかり。生活に密着した事業者には競争的な政策は機能しません。そこで、小規模企業については別立てにして競争的性質を弱め、「持続的発展」を強調するようにしたのです。

そのような背景があるからこそ、たとえばコロナ禍において政府は中小企業に大量の資金を流入させました。

もちろん、コロナ禍という経営環境の激変については考慮する必要があるでしょう。でも、事業者に対して、国が有利な補助金を大量に措置することに違和感はありませんか？生存権を保障するためには生活困窮者への支援や家計激変緩和措置がオーソドックスな手法ですが、こちらは小規模かつ貸与が中心でした。

景気変動期には事業者が業態転換等を通じて、その形を変えていく、適応していくのが市場経済の基本的な思想です。そう考えてみると、従来の産業構造をそのままそっくり残そうとする、現状維持インセンティブを与える政策はすごく変ですよね。

でも日本の場合、それをやったわけです。それでは企業が試行錯誤して環境条件の変化に適応しようとする動機づけを欠きます。休業が増えるだけ。実際そうでした。ぼくはこのことを『コロナ危機の社会学』（朝日新聞出版　２０２０年）などで繰り返し指摘してきましたが、さまざまに批判を頂戴しました。

乱暴にいえば、日本政府の企業に対するコロナ対応は極めて復古的で、昭和的でした。昭和の時代の中小企業政策の柱は二重構造の是正に置かれていました。

ごく一部の先進的な大企業の世界と、産業界において数のうえでは99％を占める中小零細企業の世界があって、後者は制度、生産性、さまざまな点で遅れていて、日本の産業構造は二重になっています。この二重構造は格差であって好ましくないから埋める必要があるという政策でした。１９６３年の中小企業基本法成立当時のこの発想がいまなお根強く残っているということを、給付措置に強く賛成していたビジネス論壇も含めて強く感じました。平時のビジネス論壇は競争や適者生存を強調しがちなのに、いざ我が事となると国の補助ありきで失望しました。これを機に競争至上主義の旗を降ろしていただきたい。

実態として大企業と中小企業のギャップって埋まっているんですか？ それとも広がっているんですか？

広がっています。つまり、中小零細企業は変わらないまま。

2023年10月に始まったインボイス制度なども、要するに徴税のシステムを中小零細企業界にも徹底させようという仕組みです。特に零細事業者については、これまでは消費税の納税が免除されていたのですが、それ自体変な話です。税金を各事業者が集めているのに納めなくていいという特例になっていたわけですから。そして、それを改善しようという政策に対して反対運動が起きたりする。しかも結局、適合事業者にならないという選択肢も残されているので、実際には小規模事業者ほどあまり変わらないでしょう。

要するに中小企業界はあまり変わらないけど大企業はグローバル経済の動向に合わせてどんどん変わっていくので、二重構造は現実にはかつてより広がっているはずです。

「日本の政策は中小企業に手厚すぎるせいで生産性がむしろ下がっちゃっ

※デービッド・アトキンソン（1965年〜）：オックスフォード大学で日本学を専攻、ゴールドマン・サックスで日本経済の「伝説のアナリスト」として名をはせた。退職後も日本経済の研究を続け、数々の提言を行なっている。

ているので、この優遇措置を変えなきゃ」という主張の急先鋒が、多分デービッド・アトキンソン※ですよね？　ただ、ぼくは優遇政策だけが生産性低下の原因だとは思えず、それを変えればすぐによくなるかというと懐疑的です。そのあたりは西田さんはどうお考えですか？

中小企業の構造改革に切り込めない日本政府

ぼくは、「労働生産性を高めるためには中小企業への補助を見直すべきだ」というアトキンソン的な主張と「規制緩和などで時間を稼ぎながら成長戦略で構造改革しよう」というアベノミクス的な主張は一体であるべきだったと考えています。

だけど結局のところ、どちらも目論見通りにいったとは感じられません。とても中途半端。

なぜかといえばボトルネックは政治的な理由です。自民党と政府は通常、票数が多い中小企業の世界には切り込めないわけです。中小企業の世界はすごく票数が多い。地元の事業者ですし、数でいうと日本の全事業者の99％以上です。そして、地域経済界や団体は伝統的に自民党を支持しています。

だから政府と自民党は、中小企業の世界が嫌がる政策はできません。高齢者に切り込めないのと同等かそれ以上に中小企業の世界に「改革」を持ち込めないんですよね。

ぼくは、本来であれば中小企業改革と成長戦略はポリシーミックス的であるべきだったと考えています。経営者は経営破綻しても首を括ったりしなくてよいように、現実的な形で個人の生存権は正しく守られるべきなんだけれども、経営者と切り分けた法人としての事業者がいつまでも存続するべき合理的理由は乏しいのではないでしょうか。そもそも生活密着型の事業を含めて、中小企業の平均的な寿命は小規模事業者ほど短いのです。

コロナはわかりやすいわけですが、事業者に対する給付を重点的に行なったのは激変緩和措置としてはあり得ても、やはり市場経済の国では間違いで、給付や無利子貸付は主に個人に対する支援策として行なうべきであって、事業者は「正しく」潰れるべきだったのではないでしょうか。

いまの我々が見ているように、コロナ禍では企業の倒産件数は増えなかったのですが、コロナが相当程度収束した最近になって企業倒産が増加するというよくわからない事態が生じています。政府介入の結果、生産性が低い事業者や産業が存続し続けることで、生産性の高い産業に労働力が移行しにくくなるなどの問題もあるはずです。

日本では20年以上、大企業を含めて企業数は減少の一途です。

事業承継が課題だとずっと指摘されているのですが、解決しないまま。中小企業界はどんどんシュリンクしていっているんです。

中小零細企業は生活経済ですから、ご飯屋さんなど、小さな地域で主に生活に密着したビジネスが中心です。人口が減っていけばそれに応じて減っていくのはある意味当たり前ともいえます。適正な事業者の数については市場の調整が働いていくんだろうと思いますし、「自然」に解決するのかもしれません。そして、そもそもそういう事業者が最近いうところの「アップデート」し続ける必要はあるのでしょうか。

行き当たりばったりの政策で介入することで、生産性が低い産業が労働力（者）を抱え込んでしまうなら、生産性の高い分野に人が移行せず、賃上げにもつながらず、社会的な問題にも思えてきます。

労働生産性を上げることで現状の問題は解決するか

YOSUKE YASUDA

西田さんは前節で現状の中小企業対策を肯定はされていませんでしたが、とはいえ、中小零細の事業者であったり、高齢者であったりは、放っておくと経済の仕組みのなかで割とないがしろにされがちな存在です。そこに対して何かしらの所得移転や保障を考えるのであれば、政治が動くしかないわけです。

アメリカなどを見ていると、経済界で力がある人たちが影響力を持っているので、本来政治的に守らなければいけない人たちが守られていない現状があります。格差に関しては、むしろどんどん広がっていく一方ですよね。

日本はよくも悪くも票を持っているという点で、中小企業が守られている。いわゆる弱者の人――高齢者はみんなが弱者ではないので少し難しいところですが、中小企業みたいな、数が多いけど経済的なインパクトは大きくない人たちの声がいまだに強いというか影響力が残っているわけです。

これは、見方によっては経済と政治で、お互いに苦手なところのバランスを取る仕組みが生きているとも解釈できますよね。

規制とルールのメリットとデメリット

政治と経済がバランスを取っているもう1つの例としてぼくが思い浮かべたのが、日本や欧州における解雇規制や労働ルールです。これらが強すぎることでイノベーションが生まれにくい、経済成長できない、したがって日本も欧州ももう少し解雇規制をゆるくして、労働市場を流動化しろというのが典型的なエコノミストの政策提言です。

ところが先日、ＭＩＴを代表する現役最強の経済学者、ダロン・アセモグル※と話す機会がありました。

彼がサイモン・ジョンソンとの共著『Power and Progress』（『技術革新と不平等の１０００年史（上・下）』早川書房　２０２３年）という本のなかで一番強調しているのが、「オートメーションの技術が進みすぎている」ということです。

これまで多くの経済学者は、技術革新は平均的には私たちの暮らしを豊かにするし、そ

※ダロン・アセモグル（1967年～）：ＭＩＴの各学部に１人しかいないインスティテュートプロフェッサー。現役の経済学者でおそらく世界最強。ぼく（安田）とアセモグル教授の対談は次のURLより視聴可能（https://www.youtube.com/watch?v=IrF_2r0fSA8）。

れで仕事を失う人がいても、よそでいい仕事を見つけられて、平均的には社会にとってプラスだと考えてきました。それに対してアセモグルは、今回は違うかもしれないという強い警鐘を鳴らしています。人を活かすのではなく、人に取って代わるタイプのオートメーション型の技術が急速にいま起こり始めているというのです。

では、どうするか？ について、アセモグルは最終的にそのテクノロジーの使い方を決めるのは我々なのだけど、現状は一部の人たちがテクノロジーの方向性を左右しすぎていると指摘しています。念頭にあるのはアメリカだと思いますが、巨大ＩＴ企業と、彼らの意向をさほど強く押しとどめようとしない政治の力がオートメーションに使える技術の野放図な拡張を許している。

これを変えないと、仕事にあぶれる労働者が本当にどんどん出てきて、セーフティネットや所得移転が伴わないと路頭に迷う人もどんどん出てくるだろう。そしてこの流れを押し止められるのも実は我々なんだ……ということで、労働者とか我々１人１人の暮らしを豊かにする方向に、政治の力を使って技術の向かう先を修正しなければいけないということを強く言っています。

つまり、これはオートメーションに関して、これまでの楽観主義のままではまずいん

じゃないという主張です。

「政治の力を使う」とは、デジタルプラットフォーム規制※などで見られる事前規制のようなものが必要になってくるということですか？　従来だと事前規制はイノベーションを阻害するというようなことで非常に嫌われていた印象です。

これは完全に仮説ですが、日本や欧州の企業には、もともと意図せざる形で事前規制のようなものが入っていたんじゃないかと考えています。

それが何かというと、たとえば厳しい解雇規制です。日本や欧州では、明示的に法律で禁止されてはいませんが、実態としては企業が従業員をなかなか解雇できないという強い制約があります。

新しいテクノロジーを受容する際、一番わかりやすいメリットは、それによって人を減らせるということです。人件費は高いので、明らかにコストを減らせるじゃないですか。それが新たなテクノロジーを導入する一番わかりやすいインセンティブになるはずです。

アメリカ企業やイギリス企業にはそんな解雇規制がないというと言いすぎですが、非常

※デジタルプラットフォーム規制：事前の数値や閾値などを示しておいて、それを超えると指定プラットフォーム事業者に該当するので多くの規制の対象になると示すこと。欧州をはじめとして導入されており、日本でも実施されるのではないかといわれている。

にゆるいので、テクノロジーを受け入れて人を減らすことが簡単にできます。そのため、新しいテクノロジーの導入とそれに伴う人員整理によって収益を上げる、競争力をつけるという絵を描きやすい。

一方で、日本企業や、フランス、ドイツのようなヨーロッパ大陸系の企業は仕事を減らすこと自体はいいのですが、仕事が減っても余った人をほかで使わないといけません。簡単に首を切れないわけですから。結局、**新しいテクノロジーを入れても人件費も変わらないし、ほかで人を使う方法が見いだせない限りは儲からないわけです**。だから導入してもしかたがないみたいな話になる。

結果的に、ある種の制約があるなかでは思い切ったテクノロジーを受容できなかったり、労働者を減らすようなドラスティックなイノベーションが起きにくかったりする。実際、日本にしても欧州本土にしても、ＧＡＦＡＭみたいな企業は生まれていません。

一方で、アメリカとはずいぶんルールは違うんですけれども、雇用規制等がおそらくそんなに厳しくないであろう中国でも先端的な企業が生まれやすいのは、単に人口や経済規模だけではなく、背後にある、労働に関する慣習も含めた方法というかルールの違いが、すごく効いているような気がしています。

なるほど。おもしろい。生産性向上策や手法に対して、防衛本能のようなものが働くのでしょうか。

でも前述のアセモグルの見立てを考えると、足かせになっていたように見える日本やヨーロッパの労働法制には一定の合理性があるかもしれません。それによって行きすぎたテクノロジーみたいなものに歯止めをかけているともいえる。

また、そうだとしたら今後、足かせがないアメリカや中国にはますます差をつけられるのかもしれません。

実際、冒頭にかかげた労働生産性のグラフを見ると、もう日本も欧州も希望はないと感じるかもしれません。しかし一方で、労働生産性が高く、GDPも伸びているアメリカでは、多くの都市で街中にホームレスがあふれて全然社会保障も充実しないし、医療費もめちゃくちゃ高いという現実があります。だから単にオートメーション化を進めれば生産性が上がり、市場も流動化して日本の諸問題が解決する、よい方向に行くのかというと、最新の経済学では懐疑的です。

雇用形態という「足かせ」と「イノベーティブだった時代」の齟齬

RYOSUKE NISHIDA

安田さんの「労働生産性だけを見ると希望はないけれど、日本的な雇用習慣が足かせのように見えて実は合理性がある」というご指摘に関して、日本の独特な社会システムは3つの要素から成り立っていることが歴史的には指摘されてきました。

1つが、**日本型の雇用習慣**ですね（「日本型雇用」）。

2つ目が、**日本型の社会保障システム**です（「日本型福祉国家」）。

それから本章ではくわしく説明しませんが、**自民党を中心とした資源配分**。この3点セットが日本の社会システムの特徴といわれてきました。

1つ目の大企業を中心とする「日本型雇用」は、さらに新卒一括採用、年功序列型賃金、終身雇用制（定年制）に分解することができます。これらの雇用習慣は相互に強い相関関係

日本の社会システム

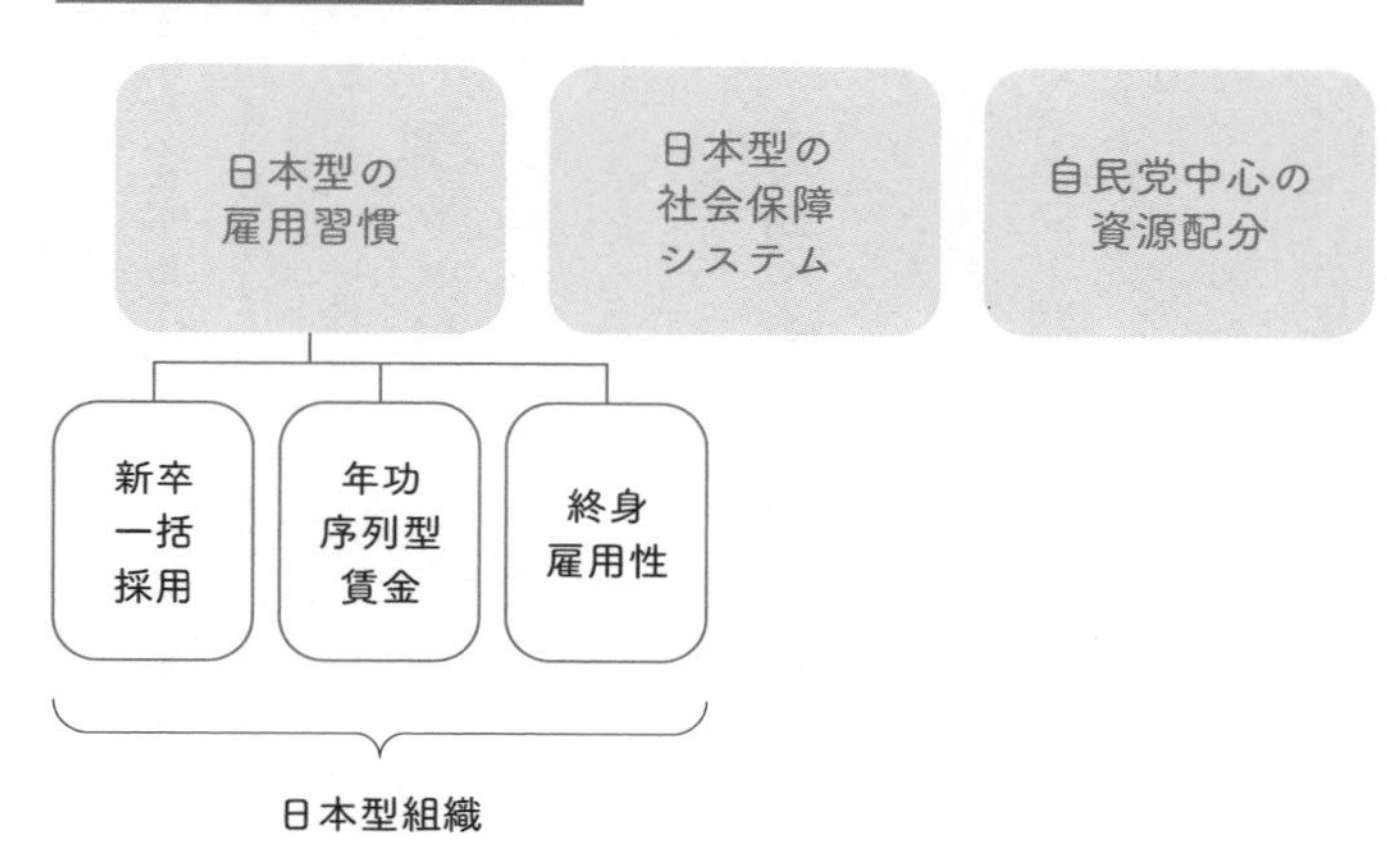

があるということが指摘されてきました。

このような日本の会社組織はよくも悪くもメンバーシップ型であるとされています。仕事ありきではなく、人ありきということでもあり、資格や職能といったものを身につけることよりも組織が一体となったチームであることを重要視します。だから何年入社といったことを気にするわけです。その年ごとに地頭がよさそうな人たちを大雑把な評価で採用して、共同生活や研修、仕事上の体験などを通じてメンバーシップを形成させます。「同期の絆」と呼ばれるものです。この「絆」は、その後の人事を通じて、円滑に業務を進めるために活用されます。

また、入社時の賃金水準を抑えてキャリア後半の賃金カーブの伸びを高くすることで、

1つの企業に長期間勤めさせるようなインセンティブ設計になっていることも指摘されています。要するに転職者より、生え抜きに有利な俸給表になっているということです。その代わり、最近は人手不足で社員の流出や転職を防ぐ観点から少し変わり始めていますが、自分がやりたい仕事というよりは会社都合、つまり人事部の差配でキャリアを築きます。

これらのメンバーシップ雇用的な側面と年功序列型の賃金カーブ、学歴主義などがジョブ型が根づかない理由として説明されることは多いはずです。

先ほど安田さんからも、エコノミストから「これらが強すぎることで労働者の専門性が低く、イノベーションが生まれにくい、労働市場が流動化しない」という指摘がなされてきた、と説明がありましたし、極めて一般的な通説です。

しかし、これは先ほどまでの理論的な説明とうまく適合しないような印象を持っています。両者の因果関係もさることながら、案外、媒介する別の変数が重要だったりするのではないでしょうか。

それというのも、**このような日本的な組織は90年代に至るまではさまざまなイノベーションを生み出し、世界経済をリードしていたからです。**

Ｓｏｎｙのウォークマンが世界的にヒットしたりトヨタなども低燃費で壊れにくい高

品質な車を低価格で作り、オイルショックなどを経てアメリカ市場で受け入れられたりしました。当時はガソリンが安いアメリカでさえ燃費を気にするようになって、日本車の品質向上がそこにはまったということはよく語られるエピソードです。

つまり、いまとなっては古臭い、時代遅れの産物とみなされがちな日本型組織でもイノベーションが起きていたということです。この点をどう考えればよいのでしょうか。

一方で雇用を守るという意味では、日本型組織は組織の自己存続のようなものに強く動機づけられていて、あまり従業員の味方になっている感じはしないじゃないですか？　ぼくは長く労働組合と関わってきましたが、理念的、歴史的な労働組合の重要性には同意するものの、現状については大変不満足です。こうした問題をどう捉えればよいでしょうか。

理論と現実のギャップのようなものが随所で起きている印象です。

昭和の時代には、そのような日本型組織がある程度、機能したうえでイノベーションを生み出していました。

ところが現代においては、日本型組織が機能している気配もなく、イノベーションも生み出さなくなっている。このあたりの通説やビジネスオピニオンの現状をどう理解すべきかや、改善のための実践的処方箋について強い関心があります。

問題は日本型雇用習慣ではなく習慣の崩壊

YOSUKE YASUDA

前節の西田さんの指摘については、2つの視点があると考えます。

1つは、まさに社会学的な見方として、日本の企業と労働を取り巻く日本固有のシステムは相互に補完をしているという視点です。

従来、それは日本社会の伝統や特徴として語られてきました。ある種の日本特殊論みたいなものです。日本という特別な国、特別なカルチャーみたいな。

しかし、特に日本が特殊なわけではなくて、理論的、潜在的にはいろいろなビジネスの仕組みがあるなかで、両国でさまざまな制度が補完的に相性のよい形で発展していって、行き着いた先を見ると、それぞれ日本型とアメリカ型という具合にだいぶ違っている、というふうに見ることもできるのではないでしょうか。

日本型ビジネスとアメリカ型ビジネス

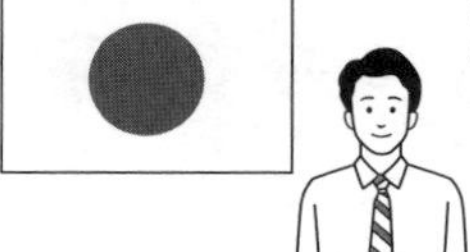

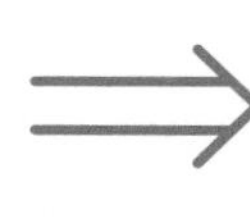

日本型の市場とアメリカ型の市場、日本型の資本主義とアメリカ型の資本主義など、この視点を最初に世界の研究者にわかる形で発信したのがスタンフォード大学の名誉教授だった経済学者、青木昌彦氏※です。彼は英語で、日本のコーポレートカルチャーに関してゲーム理論を使った分析を行ないました。

それまでは世界でも「日本の企業は特殊だから儲かっているが、我々からすると得体の知れない働き方をしている」というような見方だったのが、青木氏の分析によって「これは理屈で説明できる」という認識に変わりました。彼の仕事の意義はここにあります。

※青木昌彦　(1938年～2015年)：日本の経済学者。専門は比較制度分析。スタンフォード大学名誉教授、京都大学名誉教授。

終身雇用だからこそ大きなイノベーションが生み出せた？

2つ目の視点として、先ほど西田さんも年功序列型賃金と終身雇用に言及されました。終身雇用だと、若いうちはどうしてもパフォーマンスに伴う賃金をもらえません。ミドル、シニアになってからお給料が上がってきてそこで回収する仕組みです。だからリタイア直前には自分の生み出している付加価値以上の給料をもらうことができます。

この終身雇用制度は、日本の労働市場の流動化を阻むものとしてしばしば槍玉に挙げられてきましたが、ぼくは**このシステムを壊したことこそが日本の世界を席捲するような新しいものを生む、イノベーティブな土壌をなくした要因ではないか**と考えます。

それというのも、組織にとどまればたくさんお給料をもらえる、逆に若いうちは少ししか払ってもらえないという状況。**将来もらえるはずの賃金をある意味人質に取られている状況だと、いまいる企業を辞めるインセンティブがなくなります**。みんなそこにとどまる。

人が辞めないからこそライバル企業にヘッドハントされる心配などなく育てることができる。なので社内で人を育ててその人は長期間働いて、昭和のような右肩上がりの時代は個々人のモチベーションもいまとは比較にならないくらい高かったでしょうから、生産性も高くなる。そんなふうにすべてがいいことずくめで回っていた時期もあるはずです。

それが一旦駄目になると「日本型経営は終わった」となってしまうのですが、当時、うまくいっていたときはかなり合理的な仕組みに見えました。そして、**その合理性は日本が特殊だからではなくて、アメリカやヨーロッパの研究者が聞いても理解できる合理性だったんですよね。**※

真の問題はイノベーションではなくスケールアップ

また、日本企業が「組織の動かし方が同じでも、かつては世界市場で強い競争力を持っていたのに、いまはなくなってしまった」ことの1つの原因として、「キャッチアップ型のときはやることがわかっているので先行者を真似して追いつくのは得意だけど、フロントランナーに立ったら新しいものを出せなくなった」というような説明をする人がいます。

それは正しいとも、ある程度真実の一面を捉えているとも思いますが、前節の西田さんの問題提起はそれとは違っていて、「キャッチアップ期といわれているなかでも日本は真似するだけではなくて独自のものを作り出していた」と。なぜ、いまはそれができないか、ということだと理解しました。

※忘れられた日本企業の特徴や強さについて欧州出身でアメリカで活躍する経済学者ウリケ・シェーデが解説している書籍もあります。『シン・日本の経営　悲観バイアスを排す』（日経ＢＰ　日本経済新聞出版　2024年）。

それについても、ぼくは、いまも日本の組織は新しいものを生み出していると思います。ただ、それがグローバル市場をがっと取ってくるだけのものにスケールアップできていない。**問題は生み出せないことではなく、スケールアップできないことだと考えます。**

そもそも、昔はイノベーションを起こさずにキャッチアップでよかったのかというと、そうでもなくて、やっぱりイノベーションを起こしています。西田さんも例にあげたＳｏｎｙのウォークマン、トヨタのハイブリッド車などは典型です。インスタントラーメンやウォシュレットなども世界に大きなインパクトを与えた日本発のイノベーションです。

もっというと、**いまでもイノベーション自体は起こしているのですが、それをきちんとマネタイズできてないところに問題があるのではないでしょうか。**要素や技術は生み出しても、国内では決済サービスにまで応用できなかったＱＲコードや、ｉＰｈｏｎｅが登場するまでは圧倒的に進んでいたｉモードをはじめとする携帯電話サービスなども、世界で大きなシェアを取ることはできませんでした。

日本の組織は単に追いつくのは得意だけれど一旦追いついたら駄目だという分析だと、ちょっとあまい気がするんですよね。

「日本だけできていない」ではなく「アメリカだけできている」

ぼくは日本の組織からイノベーションが生まれなくなっている印象を持っているのですが、安田さんは違うんですか？　「いまも生まれてる」というのは、ややポジティブすぎるようにも聞こえてしまいます。

大学などの研究や家電など、昔強かった分野で衰退傾向にあるのは間違いありません。しかし、たとえば家電という広いくくりのなかでも、いまだにゲーム機やデジカメなどは残っていますよね。もちろん、スマホの台頭でゲームやカメラも苦しいわけですが、そんなスマホもなかの部品はかなりの割合がいまでも日本製です。

ですから、なくなったわけではないというのと、地味ですが伸びている分野はあるんです。だけど、前述の「スマホのなかの部品」のようなｔｏ Ｂの素材などは最終製品ではなく目立たないので気づかれにくい。

ほかにも「かつてはウォークマンで一世を風靡したのに」というように、失ったものは目につきやすいという側面もありそうです。

でも、そういった中規模なイノベーションがあっても、それを世界市場に持っていってどんどん売るようなことができていないのが、日本全体の競争力がないという、巷でいわれていることのメインの理由かもしれません。


もう1つあり得るのは、どんどん物事がサービス化していますよね。

単に物を売るというのはやはり減ってきていて、世界中がある意味豊かになると、モノからコトにどんどんどんどん消費の中身が変わっていきます。

コトになっていくと、世界的にサービスを展開することが必要で、そのうえで欠かせない言語的な強さというと、どうしても英語圏になってきます。つまり、**英語でのサービスを世界展開できる国が経済的な覇権を握りやすい側面は絶対あるはずです。**

前述した解雇規制の縛りがないことによってアメリカ企業が有利なことに加えて、サービスを世界的に展開していくうえで、英語圏でカスタマーを持っていて世界に打って出やすいというのは、アメリカのプラットフォーム企業のアドバンテージですよね。

アメリカ企業が特殊だということですよね。

アメリカの企業ができていて日本企業ができていないと、多くの日本人は「日本だけできていない」みたいなことを言いがちですが、実際は「アメリカだけできている」んですよ。ヨーロッパの国を見ていると日本と同じだったり、日本以上にひどいということがよくわかります。

雇用を創出するという日本企業の謎の信念

日本の雇用と産業というとき、ぼくがいつも具体的に気になるのはトヨタです。結局、トヨタは昭和の時代から現代に至るまで、名実ともに自動車分野で世界をリードし続けている企業です。

トヨタをはじめとする自動車企業は総じて、雇用を確保する、とくに国内で一定の雇用を確保するということに強い問題意識を持っている印象です。

なかでもトヨタは約7万人という国内最大の正規雇用社員を抱えています。

最近はたびたび、国内での雇用維持のために販売台数を維持しなければならないということを繰り返しています。言い換えれば、国の補助などを要求しているともいえます。

自動車というのは現在でもすごく大きな規模の産業で、自動車関連産業には約550万人が従事しています。完成車メーカーで働いてる人はそのうちの80万人ほどですが、販売店や部品メーカーなどいろいろな形で働いています。日本の就業者数は7000万人ほどなので、自動車関連産業で10％弱を占めるという見立てです。これは驚異的な数字ですよね。

そのなかには自動車のディーラーたちなども含まれていて、彼らはトヨタ（関連子会社）で働いているということで、地域社会ではある種のステータスなども得ながら充実した人生を送っています。

確かに、すごい数ですね。ただ、いまの流れとして工場のオートメーション化が進んでいくと、工場のラインに立って肉体労働をする人は少数で済み、それ以外にはデザイナーやマーケターくらいしか求められませんよね。

まさにEV化すると部品の点数が劇的に減って、オートメーション化が進みます。そうすると「雇用を維持するのが難しいので何とかしてほしい」と、トヨタは政府に強く迫っていたりします。ほかにも廃工場跡に実験都市を作ってみようとするなど、試行錯誤も続けています。

このことを鑑みると、80年代から現在に至るまで、結局ずっと世界のリーディングカンパニーであり続けている自動車産業はやはりすごいと感じます。

当時といまだと同じ車でもまったく別物になっていて、テスラが伸びているとか時価総額でトヨタを抜いた云々といいますが、販売台数では結局いまもトヨタが世界一なわけですよね。

ルノー・日産・三菱自動車アライアンスもまさに世界屈指なわけですし、組織の違いなどあるものの、**世界的な競争力を持っているのは、雇用習慣や組織の慣習をあまり変えていない自動車関連企業ということはいえそうです。**

もちろん現地生産、現地販売の一般化、生産性向上、またトヨタ生産方式の世界的な浸透を経た改善などいろいろな要素があることは承知しています。

しかしこうした多様な変数を無視した「日本的経営の終わり」や「時代遅れな日本的組織」言説の流通と、素朴な給与体系や組織の短期的「改革」は、自ら首を締めているというべきか、品質や信頼性など日本企業のよさを毀損し、競争劣位になるなどかえって日本企業に不利益をもたらしている印象があります。最近ベストセラーになっている『世界は経営でできている』（岩尾俊兵　講談社　２０２４年）も日本的経営を問い直す本ですね。

経済指標に表れないが重要な価値

前節の西田さんのお話、「トヨタが雇用を支えている」というところは、通常我々が注目する経済の指数や指標にはほとんど載りません。

たとえば、利益というのは賃金を払ったあとのお金なので、利益からはすでに賃金はさっぴかれていて、どれぐらい賃金が払われたかを我々が直接見ることはありません。

そして利益をもとに企業価値や株価というものがおおむね決まってくるため、投資家目線では、誰も従業員数などは気にしません。

そのため、経済指標においてわかりやすい、目に留まるような数字は直接出てこないのですが、今後も同じような時価総額だったり企業価値を保とうとすると、労働者をたくさん抱えているとか、労働者を中心としたステークホルダーをどれぐらいの規模で持っているとかいうのは、どんどん見える化されるようになっていくんじゃないかと思います。昨今、サステナビリティやＳＤＧｓといった見えない価値をどんどん見える化していこうという動きがあります。

それでいうと従業員をたくさん抱えている、あるいは雇用を生み出しているというように、**単にお給料のため、生きていく糧を与えるためのものとして雇用を捉えるのは少し小さい見方のような気もしています。**トヨタや関連企業で働いていること、地元ではすごくいい企業だと思われているところに本人ないし家族が通っていることは、多分一種のステータスでもあるでしょう。

いままでの雇用慣行が続けば安定した仕事ですし、賃金もそれなりに稼げる。そういう仕事に自分がついていることで、生きがいじゃないですけど社会的なステータスを受け取っている人は相当数いると思うんですよね。

もちろん、場合によっては「内容が乏しい仕事に対してラベルだけ一流企業の社員」とか、「立派な肩書きをもらっても無意味な会議に出続けるだけの役員」というような、ブルシットジョブ※的な負の側面もあるかもしれません。でも、これも逆に考えると、大した仕事をしていなくてもいい企業に勤めているとかいい仕事をしているというラベルを貼られ

※ブルシットジョブ：アメリカの人類学者デヴィッド・グレーバーが著書『ブルシット・ジョブ――クソどうでもいい仕事の理論』（日本語版　岩波書店　2020年）で看破した被雇用者本人でさえ、その存在を正当化しがたいほど、完璧に無意味で、不必要で、有害でもある有償の雇用の形態のこと。

て、自分に対してプライドを持って仕事ができる人たちが何十万もいるということでもあります。

「工場に人がいない」ことで有名なテスラは、そのトヨタ的な雇用をほとんど生み出せていないいんですよね。

テスラに限らずGAFAMも全部そうですが、直接雇用されている人はごく少数で、そのほかは倉庫の従業員だったり世界にちらばるエンジニアだったりして、「私はテスラで／GAFAMで働いている」と誇りを持てる人は少ない印象です。だから、そういう観点から雇用を生み出して、株主以外のステークホルダーにものすごく還元できているところと、単にお金を与えているだけではなくて、何か生きがいみたいなものを生み出しているという意味で、トヨタはとくにいい企業ですよね。

「世界的な企業であるトヨタやその系列会社に勤めています」というのは、働く人に相当プラスの効果をもたらしているはずですが、いままでそういうことは全然見える化されていませんでした。指標になってなかったんですよ。もし適切な指標を作ったとしたらトヨタはすごく「企業価値」の高い会社だということになると思います。

リモートワークは生産性に影響を与えたか

YOSUKE YASUDA

生産性という観点から、ぼくがもう1つ興味深く思ったのは働き方の部分、たとえばリモートワークです。

コロナ禍を経て、リモートワークが進みました。ぼくはいまでもそうですが当初よりリモートワークをポジティブに捉えていますが、西田さんは反対で、「コロナ禍が終わったら元に戻るんじゃないのか」と考えていましたよね。実際に相当戻ったわけです。

でしょでしょ。

コロナ禍の間、各国でリモートワークが浸透し、諸外国では「リモートワークにより生産性が上がった」と考える人の比率が高くなりました。他方、日本において「生産性が上

コロナ禍前後（2019→2022年）の生産性変化の実感

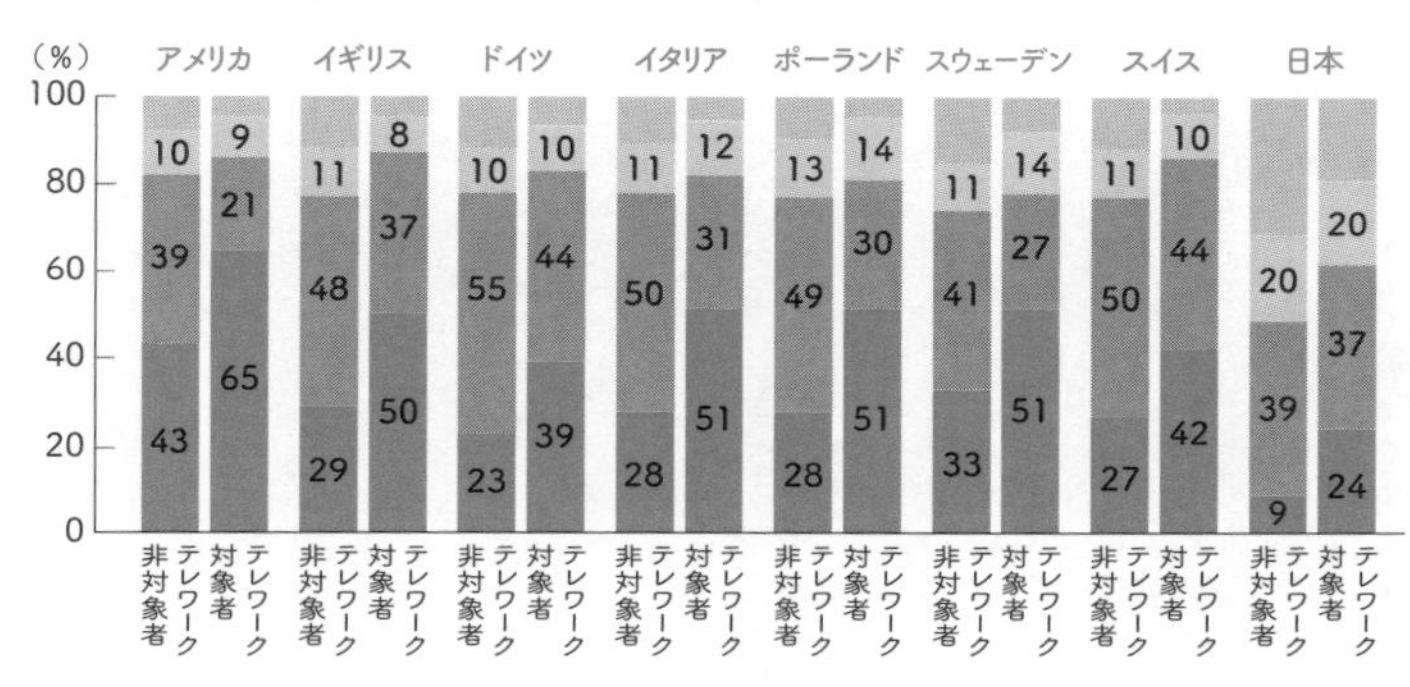

■＝生産性は上がった　■＝変化なし　■＝生産性は下がった　■＝比較できない／わからない

NRI「With コロナ期における生活実態国際比率調査」（2022年7〜8月）より

がった」と感じた人の割合は、諸外国に比べて低かったようです。

その理由を割とストレートに説明できそうなのが、日本企業の働かせ方です。労働者に対して、「コミュニケーションも含めて、上司が部下の働き方を直接見てあげる」というモニター型が日本では多かったはずです。

経済学のなかで**モラルハザード問題**といわれる問題に分類されているんですけれども、ひょっとしたらさぼってしまうかもしれない、上司が期待する仕事をそのまましてくれるかどうかわからない部下をどう働かせるかには、大きく3つのやり方があります。

1つは監視する。さぼっていると怒るような方法です。これが日本企業の伝統的な働き方・働かせ方だったんじゃないかとぼくは思っています。いまだに課長や部長が島を見渡せる位置にいて、部下を監視できるようになっているオフィスが多いですよね。

もう1つはかなり大きな裁量を与えて内発的動機というかやりがい、やる気をバーッと引き出して自由にやらせる方法。これは職場によってはうまくいきますが、やり方を間違えると深刻なモラルハザードを起こし、「誰が何をやっているか誰もわからない」というようなことが起きてしまうかもしれません。

もう1つはジョブ型雇用でよく行なわれる方法で、やることを決めて成果に応じて報酬を変えていくというインセンティブ給与、ないしは成果報酬型の働き方です。

ところが、日本は伝統的に成果報酬っぽいものはほとんど取り入れていないというか、取り入れられる領域をすごく限定してきたので、実際にはモチベーション型でいくか監視型でいくかということになります。

そうなってくるとモチベーション型はモラルハザードを起こしやすく日本型組織には不向きなわけですから、勢い監視型にもならざるを得ません。

多くの組織がもともとそうなっていて、そこにコロナが来てリモートワークとなると、従来上司が自然と行なっていたモニタリングができなくなるわけです。

働きぶりを直接管理することはもちろん難しくなりますし、定期的にインフォーマルなコミュニケーションで部下の悩みを聞いてあげることも難しくなります。

そうすると、いままでと同じ働き方を維持するのは相当困難になったはずです。


一方で、海外でも上司がモニタリングしていたりインフォーマルなコミュニケーションを行なう組織は多いのですが、それでもやるタスクを決めて、そのパフォーマンスや成果をチェックして働かせているケースがそれなりにあるので、諸外国ではリモートワークのデメリットはそんなになかったということです。

リモートワークにはもちろんメリットもあるわけじゃないですか。

そもそも職場まで来なくていいので、ビジネスパーソンを疲弊させる通勤ラッシュを回避できたり自由時間が増えたりする。こうしたメリットを享受できた組織が多かったので、平均的には生産性が下がらないとか、場合によっては結構上がりましたという。海外の場合はそういうカラクリになっているはずです。

ひるがえって日本の場合は、プラスはあるかもしれないですが、それ以上にうまくモニタリングができないというマイナスが大きかったので、全体として見るとパフォーマンス

が下がってしまう。特にモニタリングする側の管理職、中間管理職が疲弊したというのは、そういうことなんだと思うんですよね。

なので、いま言ったモチベーションを発揮させるか、モニタリングするか、お金で働いてもらう、インセンティブで働いてもらうかというところで、日本はやっぱり、ちょっとモニタリングに傾斜しすぎてたんじゃないかと感じます。

家でパソコンにログインしているかどうかを確認するツールとか空恐ろしい。ぼくなら、とてもやっていられません。たぶん、それだけの理由で会社辞めますね（笑）。
安田さんが挙げてくれた仮説のなかでは雇用のあり方と関係しているのではないでしょうか。日本のメンバーシップ雇用の組織においては、ポジションごとのジョブディスクリプションが明確になっていないですよね。そうすると「自分が何で給料をもらっているのかは明確ではない」ことになります。そういう意味では、労働者も「仕事って結局何するんだっけ」といった不安を感じたことでしょうし、そもそも上司も部下に何をさせる

べきかはっきりとはわかっていません。そうなってくると、リモートワークは大変やりにくいですよね。社員は上司を信頼できないし、上司も部下を信頼できない。最悪です。でも、まさしくそれこそが周りで見聞きする日本的職場の日常です。

とはいえ、出版社の編集、新聞社の記者など特定の職業の部署や部門では、リモートワークによって非常に働きやすくなった、効率が上がったという話もあります。フレキシブルな働き方を続ける部署や部門もあれば、対面中心に戻すところもある。「適材適所」のきっかけにコロナ禍がなってくれていたんだとしたらいいですよね。

一律でリモートワークを導入せざるを得なかったときに平均的な生産性がどう変わったかを見ると、日本の組織は残念ながら低かった。それはいままでリモートワークに合うような働き方をしてこなかったからで仕方がないんですけれども、そのなかでもやってみたらリモートワークのほうが生産性が高いとか全然働きやすいとわかったところは、対面に戻さずにそっちに移行することで組織全体の生産性も上がるはずです。

「人が集まる」コストをカットすることで生まれるもの

リモートワークを積極的に導入するためにルールを変えている日本の企業もいくつかありますよね。富士通やLINEヤフーなどは、原則在宅に変えています。それで不要になったオフィスを解約して、人件費と家賃を減らしている。大きな動機としては固定費を削減したいというのがあったわけです。「合理性があれば企業はやる」ということですよね。利益が出るなら実行する。そこには情もへったくれもありません。ま、そんなものなのでしょうけども。

本章（第1会議）の前半で、日本企業は解雇に踏み切りたくないから、新技術の導入に抑制的なのではないか、技術を導入しても実質は従来通りにしたがるということを指摘しました。**日本の組織は解雇はできないが、オフィスは解約できるということですよね。**働き方をドラスティックに変える覚悟があれば、大きな固定費である都心部のオフィスはもういらないという決断もできる。そこに経済合理性があるということを示すことがで

きるなら、案外うまくいくのかもしれません。

産業革命がイギリスで起きたのも、イギリスが当時、欧州本土と比べて賃金が大体2倍くらいだったことも理由の1つです。なので、イギリスの大資本は当時最先端だった蒸気機関を入れて労働力を代替しようとした。それが産業革命の一側面としてあります。もちろん、まっ先にイギリスで起きたのはほかにもいろいろな恵まれた条件などがあるんでしょうけれども、直接影響したものとして純粋に高い賃金の問題があったようです。

さらにいうと、アメリカで新しい技術が導入されやすいのも賃金で説明がつきます。アメリカは簡単にクビにもできますが、賃金がすごく高いので、そこそこ収益性のある企業だったら、新技術を導入することで、オフィスで働いている高給取り、日本円で2000万円とか3000万円とか払わなきゃいけない人たちを一気に切れるわけです。

ゴールドマン・サックスとかでトレーダーを解雇してAIに代えるとかいったら、もう何百人という超高給取りをバッサリいけるので、そりゃ入れたくなりますよね。

同じことを日本の組織でできるかっていったら、何千万円ともらっているベテラン社員が何十人、何百人といても、できないですよね、多分。

ただ、それは、決して悪いことではないんです。

トヨタをはじめとした日本の自動車産業が雇用を守ることに熱心だという西田さんのご指摘が示すように、日本や欧州本土の企業は、英米と比べると「人を切る」ことが難しい。だからこそ、人を切らずにできるコストカットにはより注力しやすいともいえます。

文中でも挙げたオフィスの節約であったり、労働者に置き換わるのではなく労働者を助け生産性を高めるような補完的なイノベーションを受容するインセンティブは、日本の組織においても非常に強いわけです。

特に、医療や介護などは、ＡＩやロボットによる補完的なイノベーションが切望されている分野です。こう考えると、日本の労働生産性を高めることは十分に可能だと期待できます。

\ COLUMN /

プラットフォーム規制と「外部性」

YOSUKE YASUDA × RYOSUKE NISHIDA

プラットフォーム規制のなさがイノベーションを阻害している

先ほど言及したプラットフォーム規制について少し話を深めたいと思います。

現状、アメリカを除くと、たとえば欧州だとデジタル市場法などで、プラットフォーム事業者に対して広範に規制をかけていくという方向性になりつつあります。アメリカはどちらかというと規制に対して消極的、日本の場合は包括的にアプローチするのではなくて、個別法でアプローチしていくという形になっていますが、欧州でも日本でも規制強化がトレンドだといわれています。

経済学的には、市場に介入する規制の根拠として何らかの「市場の失敗」が求められます。プラットフォームの場合には、アプリ事業者とユーザーとの間の情報の非対称性や、プラットフォーム事業の公共財的な側面といった市場の失敗があります。しかし、世界的に注目されている市場の失敗はもっぱら、独占や寡占といった不完全競争の問題ですね。

日本も世界も一部のプラットフォーム事業者がプラットフォームサービスをかなり独占してしまっているので、新規参入が起こりにくい。それによって新しいイノベーションが生まれにくかったり、優越的な地位を乱用したりすることで、代替的なプラットフォーマーが出てきにくかったりするのではないかという問題が懸念されています。欧州は人間中心原則が相当普及しているので「人間」や「民主主義」が規制の世界の問題として正面から取り上げられますが、たとえば日本でも実効的な規制やイノベーションや新規参入との両立は可能でしょうか。

「同じ土俵」に乗れる中国・乗れない欧州と日本

プラットフォーム規制は政治的な問題に変化している

先ほど西田さんもアメリカ以外ではとおっしゃいましたが、そこが結構難しくて、GAFAMに代表されるような巨大IT企業は大半がアメリカ企業です。

一方、巨大な国内市場を通じて成長してきた中国企業の存在もあったりするので、アメリカからすると規制は強化したくない。アメリカが規制を強化することで、結果的に西側諸国に対するような規制をかけられていない中国企業を有利にするのでは、という懸念があるからです。

自由競争の結果でプラットフォームが生ま

れてきて、今後もその経済のダイナミズムのなかで新しいサービスや次のプラットフォーマーが出てくるかもしれないことを考えると、競争の結果、成功した人たちをあとから叩くみたいなことは避けたいわけです。

一方で、現状そういった新しい産業で目立つ企業を生み出せていない欧州や日本は、すでにかなり差がついてしまったので、そこを埋めるような、同じ土俵で競争ができるような形に修正を図りたいと。やっぱり国や地域によって利害が少し対立してしまっているんですね。

だから、原理原則にしたがった統一の基準で、全世界的にたとえば競争を担保しましょうとか、あるいは、デジタルサービスの場合はインフラ的なプラットフォームとして機能しつつあるので、サービスの安全性であるとか信頼性みたいのを担保するためにどうすればいいか。本当は足並みを揃えて議論したいのですが、**国や地域によって利害が対立しているので、単に経済の問題というよりは政治的な問題になっている**とは思います。

そのうえで、足元のプラットフォーム規制に関して個人的に懸念しているのは、さっきの西田さんのポイントとは逆で、ヨーロッパには基本的にプラットフォームがないので、アメリカ企業、外からやってくるGAFAMたちをどうするかという視点で規制を進めようとしている点です。

日本の場合も、国内に楽天などは確かにいるのですが、現状、法制化を進めている中身としてささやかれているのは、一応建てつけとして客観的な基準を持ってくるんですけど、ユーザー数が何百万人以上とか、いろいろな基準で実質的に捕捉されるのが海外の巨大企業だけで、国内の企業はそういった同じ独禁法のルールに載らないような法制化をしようとしているといわれています。

その背景には、外資系企業は行政指導を聞いてくれない一方で国内企業だけルールを守らされて不公平だという声があるからこそ、次の法制化では明示的にも、外資系の巨大IT企業だけを対象にする方向に動いています。

でも、それはやり方を間違えると自国企業の保護に映るというか、表面的に見るとかなりアンフェアに映ってしまうかもしれない。なので、根拠の乏しいユーザー数という数字が一定以上の企業が対象になるという話ではなくて、理想としてもう少し原理原則があって、実質的に影響を受けるのが巨大IT企業だけになる、国内企業への影響は少ないという方向で法制化を進めていかないとトラブルを起こすんじゃないかなと懸念しています。

もう1個の懸念はいまのところやっぱり独占規制というか、競争をいかに促すかということだけで、ほぼ欧州も日本も動いているように見えることです。

一方で、ＧｏｏｇｌｅやＡｐｐｌｅは、競争を促しすぎるとセキュリティやプライバシーの問題が深刻化するということを主張しています。

すでに欧州で起こっていますが、たとえばｉＰｈｏｎｅのアプリをＡｐｐ-Ｓｔｏｒｅ以外のところで販売、購入できるように変える。その場合にそれを誰が審査するのかといったことです。

あるいは決済方法も、Ａｐｐｌｅ経由で購入せずに、第三者の決済サービスを使える形に変えていくことを日本でもやろうとしています。そのときに、いままではＡｐｐｌｅで一元化しているからＡｐｐｌｅがコストを払ってセキュリティリスクを減らすインセンティブを持っていたわけですよね。

それを、たとえば個々の事業者の小さいＡｐｐ-Ｓｔｏｒｅのようなものが乱立して、その運営者がアプリの安全性などを仮に審査するとします。そうすると、おそらくあまり時間とお金をかけて審査しなくなるんですよ。なぜかというと、短期的にはトラブルは起こらないし、起きたとしてもほかのアプリやｉＰｈｏｎｅユーザーが損害を被るのであって、彼らはその損害を負担する必要がないからです。

外部性と内部性が規制を左右している

ここで１つ、重要なキーワードを紹介させてください。**外部性**というものです。

外部性は英語のｅｘｔｅｒｎａｌｉｔｙの訳なのですが、これは経済学の専門用語で、**人々の行動が、市場とは直接関係なく第三者に影響を与えること**を指します。外部経済と呼ばれることもあります。

教科書的な本当に古い例だと、工場が騒音や有害物質を出すのは、地域住民の側からすると非常にマイナスの外部性を生みます。負の外部性ですね。

一方で正の外部性としては、これもよく例に挙がるのですが養蜂場などです。ハチは花の受粉を手伝うじゃないですか。そうすると、近くで実がつきやすくなるという正の外部性を生む、プラスとマイナスそれぞれに外部性があります。

外部性は市場での解決が非常に難しいので、典型的な市場の失敗の１つだといわれています。どういうやり方をしても外部性は、結構厄介な問題です。

そのなかでアプローチ次第では市場を活用することによって問題を軽減できる場合もあるし、逆にまったく手がつけられなくなるような問題もあります。

個々の事業者がセキュリティリスクに対して責任を負わないと、マイナスの外部性を生む可能性が高まる。事業者は直接影響を受けないから、工場が騒音をかまわず出しちゃうのと同じで、ゆるい審査が乱発する危険性があります。

ところが、AppleやGoogleだけが審査する場合には、何か問題が起きたときに損害は全部自分が被ります。だから安全基準をかなり高くする。それによって、1つのアプリで不祥事が起きた場合もほかのユーザーへの影響を防げますし、また、そうしてトラブルを防がないと端末自体の魅力も下がるので、極力防ごうとするわけです。

ご存知の通り、AppleのiPhoneはすごく高い値段、高い利益率で売れています。あれは、そういったさまざまな外部性をある程度内部化できるビジネスモデルになっているんですよね。

いまの政策的な視点から、できるだけ競争を盛り込もうというのは、GoogleやAppleなどの既存プラットフォーマーが内部化できていた割合をどんどん減らそうとしています。それは新しい競争を生むという意味ではプラスですが、一方で、プライバシー、セキュリティリスク等に関しておそらくマイナスなんですよね、どっちが重要かということは考える必要があります。

プラットフォーム規制に対するパブリックコメントなどを見ても、ユーザーはGoogleのPlayストアやiPhoneのApp Storeでしか買えないことは不便にも感じていないし、むしろそれでセキュリティが担保されていると感じています。

一方で、主にゲームなどを作る国内のアプリ事業者は、このままのやり方だと高い手数料を取られたりするので、もう少し競争を促進して手数料を安くしてほしいという意見も当然あります。

そこもトレードオフというか綱引きなのですが、現状は、この問題にくわしいジャーナリスト石川温さんの分析によると、549件のパブリックコメント※のうち、賛成が7%、中立が5%なのに対して、反対が88%と9割近くを占めているそうです。たとえば、アプリ事業者側からも、アップルと同等の安全性を担保しなければならないということへの危惧、その実現の難しさに対する危惧が挙がっています。

プラットフォーム規制が求められる日本固有の問題

いまの安田さんの指摘は主に健全な競争の観点からですが、消費者保護の観点からプ

※「iPhoneの『App Store』に規制は必要か、パブリックコメントから見える懸念点」https://k-tai.watch.impress.co.jp/docs/column/ishikawa/1541670.html

ラットフォーム規制について考えることもできるはずです。この観点でもいくつか考えるべきことはあって、透明化や消費者保護。それからプラットフォーム事業者と、既存のメディア事業者である放送事業者との共存。これは必ずしも独禁法の問題でもないですね。たとえば「ネットで安心して物を買うことができるかどうか」ということとも深く関係します。

たとえば、皆さんも覚えがあると思いますが、SNSでは似たような主義主張の人の意見が集まりやすいのは確かです。タイムラインがそういう形で最適化されているからで、**エコーチェンバー**※といわれるのですが、プラットフォーマーはそういった情報をどんどん表示させます。個人にカスタマイズして表示させることによってより長い時間、ユーザーがSNSにとどまってもらえて、媒体価値が上がることがわかっているからです。

また、偽情報も、現状では「リテラシーが大事」などということがいわれますが、ユーザー個人で見抜くのが難しい場合も多いですよね。

だから、日本政府としてはプラットフォーム事業者にもっと情報を開示してほしい。透明化してほしいわけです。でも、外資系の事業者はあまり積極的ではありません。というより、やる気がないか、お茶を濁してばかりです。

※エコーチェンバー（echo chamber）：SNS上では似た興味関心を持つユーザー同士がつながるため、意見を発信すると自分と似た意見ばかり返ってくる現象のこと。直訳すると「反響室」で、閉じた部屋で音が反響する物理現象になぞらえている。

なぜ、外資系の事業者が、日本政府が透明化しろといっても積極的に対応しないのかというと、根拠となる法律や強制力がないからです。

欧州市場はわかりやすくて、EUだと人口が約5億人。アメリカだと約3億人です。ここから締め出されたらたまりません。だから、しぶしぶ対応するわけです。さらにEUは世界全体の売上に対して罰金を求めるなどの強力な制裁措置を設けています。

でも、日本は1億人ぐらいだから、マーケットの規模が小さい。

日本語圏でプラットフォーム事業者がどんな対策を取っているのか、その規模が一体、どれくらいのものなのかさっぱりわかりません。開示する気がないからです。

世界での取り組みは、日本語圏での対策を理解することにあまり役立ちません。**良くも悪くも日本人は日本語圏の情報を中心に接触していて、英語圏の情報に触れていないからです。**政府や役所が要請すると、日本の事業者であるLINEヤフーや楽天だけが取り組むという状況です。

こういう状態に対して強制力を持って、事業者に対してアプローチする方法がないのかということは気になります。

やっぱりグローバルなプラットフォーム事業者は強いんですよね。

ちなみに、LINEヤフーは透明性レポートのなかで、自分たちがどの程度偽情報を検知していてどの程度削除しているのか、それはAIとしてはどの程度で人はどの程度の規模なのかといった観点を最近公開するようになりました。しかし、これらは端的にコストです。

これは大きな進歩なのですが、これらの国内事業者はグローバルな事業者からすれば小さな存在ですから、こうした日本の事業者だけコストを払って対応しているのに、外資系事業者が対応しないとすれば不均衡で、競争的にはかえって日本の事業者が不利になるという変な状況を促しています。より公平に対応させる手段が経済学的にあり得ないのでしょうか。

コストを払わせるような ゲームチェンジの可能性

いまの西田さんのご懸念、一言で言ってしまうと「難しい」に尽きるんです。

なぜかというと、事業者に任せておいて自ら改善するインセンティブが強い問題と、逆に放置したほうがいい問題があります。

西田さんがおっしゃった日本語圏ユーザーのための透明化は、コストをあまりかけずに改善できるのであれば、多分取り組むことにやぶさかではないはずです。

なぜかというと、ユーザーから見ても**フェイクニュースがあふれるプラットフォームは使いたくないじゃないですか。**

最近だとぼく自身も被害に遭っていますけど、XやFacebookなどで写真やプロフィールを丸パクリしてなりすまし、金融商品をすすめたりする詐欺広告が広がっています。これはかなり問題になっていて、2024年4月には実業家の前澤友作氏と堀江貴文氏が自民党の勉強会に出席して、具体的な対応策の必要性を訴えました。

ああいうフェイクアカウントの作成も自動化されていて、超格安でバンバン作れるし、たまに引っかかる人が出てくるから横行しているというのがカラクリです。

では、ああいうものがなぜ横行するかというと、**違反者にとってのコストが低い一方で偽アカウントやフェイク情報を取り締まるコストが高いから追いついていないわけです。**なので、コストさえかからなければ対処したいはずですが、なかなかできない。

逆にいえば、放置するとプラットフォーマーに**高いコストを払わせるようにゲームチェンジが可能であれば、自ら動くようになります。**

１つは西田さんがおっしゃったように、一部の国内の事業者が取り組んだ結果、彼らのプラットフォームやネット空間が健全というか問題が少なくて、一方のグローバル企業の怠慢がどんどん見える化されてくると、個々のユーザーから「国内企業と同じように取り組んでください」というプレッシャーが出てくるかもしれません。

人によってはいろいろと不満も溜まっているので、「Xをやめます」という人がある程度現れるとリアルな脅威なので、そうなった瞬間にコストをかけてでも自分たちのプラットフォームをクリーンにしていかないとまずいと考えるでしょう。

現状はユーザー離れが起こりえないぐらい、そもそもプラットフォーマーによるマーケットシェアが非対称だというのがあるんだと思います。

でも、ぼくも実感していますが、Ｆａｃｅｂｏｏｋの偽情報は結構たちが悪くて、実名でやっている人も多いＳＮＳですし、リアルなつながりがあるエコノミストとかアナリストのアカウントが金融商品を突然説明すると、だまされる人が結構いるらしいです。相当ユーザー離れや不信感を生み出しているので、プラットフォーマーのほうに自ら取り締まるインセンティブがあるはずです。

ですから、間違って本人アカウントをＢＡＮしてしまうような、逆の意味での誤りを防ぎつつ低コストで対応できる仕組みを再構築できるのであれば、プラットフォーマーもおそらく取り組みたいはずです。要は、対策によって生じるコストやリスク次第なのです。先ほどのエコーチェンバーとはまた別問題ですね。あれは事業者が積極的に歪みを作りたいと思っている。そのほうがユーザーから注意を引き出すことができるので。

でも、この明らかな虚偽情報の横行とかは多分、XやFacebookにしても自分たちのレピュテーション（風評）を下げる行為なので利害は一致しているのですが、あとは具体的な手段とかコストという話です。

やっぱり経済学はおもしろいですね。少し踏まえるだけでも、問題の解像度が上がるというか、我々が漠然と自然言語で検討したり、混同しがちな問題に対して、概念を導入するだけでも非常に明晰になる印象です。

After discussion 01

木を植える社会学・森しか見ない経済学

安田洋祐

第一会議では日本の労働生産性から話を始め、「日本だけができていない」のではなく「アメリカだけができている」という観点や、「日本がいまだに得意としているもの」といったことなどを整理しました。

よく、「木を植える社会学・森しか見ない経済学」と揶揄をされることがあります。ぼくたち経済学者は経済理論という枠、第4会議でくわしく説明するディシプリンを学部時代より叩き込まれ、いかにシンプルな理屈で多くの問題を分析できるかに注目します。

ゲーム理論もしかりで、たとえば地元のレストランの価格競争も、パレスチナとイスラエルの国際紛争も、同じ「囚人のジレンマ」で説明できそうだと考える。バラバラに見える社会問題に共通の背景、力学が働いていることを整理・分析するのが経済学です。

他方、社会学は森のなかの木を見ていく学問です。気になる動き、困っている人などのミクロの、つまり個別の現象に注目していくわけですね。西田さんはそういうタイプではないですが、社会学者の中には木を見ているうちに「ここにも木が必要だ（こんな問題もあるはずだ）」と、どんどん植林を始めるタイプの人もいたりします。

これはどちらがいいというわけではなく、社会学はその性質上、特に現代のような明るい話題が少ない時代においてはマイナスのほうに目が行きがちで、経済学はディシプリン、経済理論という型に基づいて広く一般的な視点で説明するので、時にポジティブに見えるということかもしれません。どちらの学問もそれぞれに重要な視点を持っており、両者を重ね合わせることで、よりはっきりと解像度高く問題を把握、分析できます。このことは第1会議を通じて、読者の皆さんにも感じていただけたのではないでしょうか。

また、社会学と経済学を重ね合わせることには、解像度高く問題を把握できると同時に、「理由がわかると気持ちが晴れる」というメリットもありそうです。「こんなことで日本の社会は大丈夫なの？」と思ってしまうと不安ですよね。でもこういう問題があって、これについてはこういう理由があるかもしれないとわかれば少し安心しませんか？

本書を読んで、課題もあるけど「日本は大丈夫かもしれない」と思ってもらえると、学者冥利に尽きるというものです。

第2会議

日本の「政治」大丈夫なんですか？を考える

第1部

政治とカネの問題をなぜ繰り返すのか

"悪質"な令和の裏金事件「パーティ券」問題

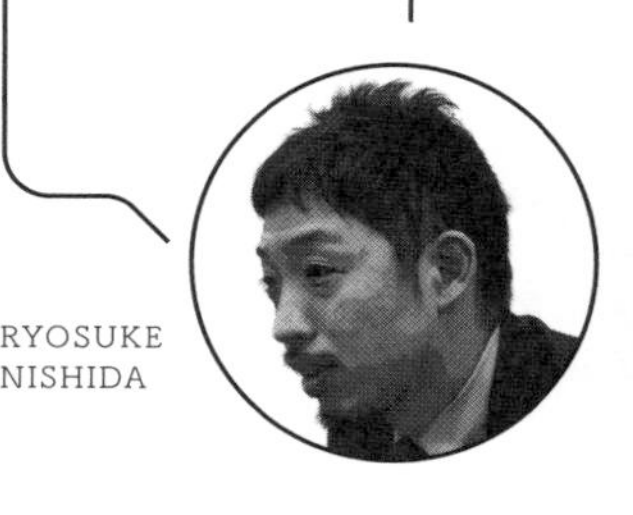

RYOSUKE NISHIDA

2024年の前半、日本では政治とカネの問題が関心を集めました。でも、まさしくそれこそが周りで見聞きする日本的職場の日常です。

事件の概要をざっくりご説明すると、派閥の政治資金パーティで、パーティ券収入の一部を政治資金収支報告書に記載していなかったというものです。

発覚のきっかけは、「しんぶん赤旗」の報道です（2022年11月）。その報道を受け、神戸学院大学の上脇博之（かみわきひろし）氏が、自民5派閥の政治団体において約4000万円の不記載があったと東京地検に告発しました。

もともと、政治資金パーティは法的に認められています。代わりにパーティでの売上（収入）は政治資金規正法で規定された収支報告書に、正確に記載しなければいけません。

それが記載されていなかったのみならず、中抜きされていたようです。派閥に戻す場合と、自分の手元に置いていた場合があるようだ、と指摘されました。

政治資金規正法では、不記載と虚偽記載についてペナルティが科せられます。ですから今回のような、記載すべきものを記載していなかったという虚偽記載や過少申告も、もちろんペナルティの対象です。

ただし、立証はとても難しい。「計算を間違えて実際の金額より多く／少なく記載してしまう」こと自体はヒューマンエラーで起こりうるので、修正できるようになっているからです。

ですから、悪意をもっての不記載、あるいは虚偽だったとして立件するのはすごく難しい。メモとか、何か会計責任者と政治家本人が共謀した証拠が出てこないと公判に堪えないからです。実際、疑惑の数に対して、立件された人の数は極めて少数でした。

今回の政治とカネの疑惑は過去の政治と金の問題に比べて悪質な点があると指摘されています。

1つは大きな金額です。つまり数千万円から数億円単位の金額が虚偽か、あるいは理由はともかく、正しく記載されていなかった。

また、もっとも人数が多い安倍派（清和政策研究会）を中心にしつつも、二階派や岸田派など、各派閥でも行なわれていたことがわかっています。

岸田総理は派閥を解散すると表明し、しかし、派閥を解散しても実態は変わらないのではないかという指摘が各方面から相次ぎました。それどころか２０２４年の時点で派閥は解散しても政治団体としては残っていたり、曖昧さを残しています。

繰り返す「ルール作り」とルール破り

読者のなかには、ルールを作ってそれを守れば、政治の課題の1つである「お金の問題」は解決する、そう思う方もいるかもしれません。

ところが、自民党は約30年前にも同じことをやっています。１９８０～90年代にかけても、政治と金の問題が相次ぎました。ロッキード事件、リクルート事件、東京佐川急便事件などです。

特に１９８８年のリクルート事件のあとに、自民党内でも「これではいかん」という声が高まりました。そこで政府と自民党と総理の私的諮問会議で、政治と金の問題を検討しました。

政治改革大綱

第一　政治改革の考え方

〔現状認識〕

いま、日本の政治はおおきな岐路に立たされている。リクルート疑惑をきっかけに、国民の政治にたいする不信感は頂点に達し、わが国議会政治史上、例をみない深刻な事態をむかえている。

なかでも、とくにきびしい批判がわが党に集中している。わが党は立党以来、政治の安定におおきく寄与し、国民の願いにこたえる政策を着実に実行して、今日の豊かな経済社会を築きあげてきた。さらにいま、わが国は自由主義と議会制民主主義を国家の基本理念として、社会、文化、経済の各分野にわたるあたらしい飛躍をはかり、国際社会の平和と繁栄にいっそう貢献すべきだいじなときをむかえている。

この重大な時期に、国民は各種選挙においてわが党にたいしきびしい審判を下している。選挙にしめされた結果は、もとよりわが党への批判のあらわれと、謙虚に受けとめなければならない。しかしわれわれは、戦後営々として築いてきた体制の変更を国民が望んでいるとはおもわない。われわれは自信をもって自由と民主主義の現体制を堅持する。

いまこそ事態を深刻かつ率直に認識し、国民感覚とのずれをふかく反省し、さまざまな批判にこたえ、「政治は国民のもの」と宣言した立党の原点にかえり、党の再生をなしとげて国民の信頼回復をはたさなければならない。そしてこのことが、引き続いてわが国のあかるい未来をひらいていく唯一の道であることを信ずる。

（http://www.secj.jp/pdf/19890523-1.pdf）

その際、自民党から出てきたのが「政治改革大綱」というルールです。

政治学者の佐々木毅（当時東京大学法学部教授）氏をリーダーに相当力を入れて検討されたものです。

「政治改革大綱」はいまでもインターネット上で読むことができます。

読んでいただくと明らかですが、脱派閥、政治と金の透明化など、いま議論しているのと同じようなことが書いてあります。

少し説明すると、たとえばパーティ券問題でも悪い意味で注目を集めている派閥というものは、前近代的なもので、こんなものが残っている限り自民党は近代政党になれない。だからこれはやめていくべきだ。でもすぐには難しいから段階的にやめていかなければならない。こういったことを党議決定しています。

つまり、令和のパーティ券問題は少なくとも2周目なんですね。そしてまた同じように自民党のルールを定めると言っていますが、それでいいのかという疑問が残ります。

そのほか、今回は政治資金規正法の厳格化や、領収書添付（パーティ券購入者の公開基準額）を現行の20万円超から5万円超に引き下げるという提案が公明党から出ています。しかし、そもそもすべての支出に対して領収書添付を義務づけなくていいのかという疑念も残ることでしょう。

ルール以前の政治資金の透明性

今回、対策として領収書添付の金額を下げるという案が出ていると前述しましたが、それも含めて、政治資金の使途について**「透明性を高める」**ということは、比較的すぐできて効果が高い対策ではないでしょうか。

つまり、帳簿に書かれた政治資金の出納を、いちいち分析したり突合したり比較したりするコストを下げるということです。

いまは様式がバラバラでアナログです。だから分析したい場合は、みんなが一生懸命書き写してエクセルに打ち込まなくてはいけません。

個人の寄付や法人の寄付に関しても、領収書添付が必要なのが1万円超とか5万円以上など何種類かあって、それ以下だといりません。そのようなルールの下では、ややこしいものは1万円以下の数字にバラすとか、誰からのいくらの寄付かわからなくなるように溶け込ませたりとかするわけです。

安田さんもそうだと思いますが、大学業界の人は使用した研究経費を1円単位でつまびらかに記します。同様の仕組みに変えていくのがいいのではないでしょうか。

様式を統一したり電子化したりして、突合を容易にするということ。これは世論の理解を得やすいでしょう。政治家の理解は得にくいとは思いますが。

とはいえ、対策の余地はまだまだあるものの、なぜ、**同じパターンの裏金問題を繰り返してしまうのか。ここに日本の政治の大きな課題があります。**自分にとって不利な制度改正を、誰しも自ら進んで行なったりはしない。当たり前といえば当たり前なのですが、国民の代表であり、公人中の公人である政治家がこれでは困ってしまいます。

法令遵守のインセンティブと罰則(サンクション)の不均衡

これについて、ぼくが安田さんと考えてみたいのは、政治における「法令遵守のインセンティブ」についてです。

ぼくが直感的に感じるのは、「法令遵守のインセンティブが少なすぎる」ということです。

変な話ですが、いうまでもなく法令遵守は当然です。ところが、遵守してもわかりやすいいいことはなく、遵守に失敗したときのみ罰則（サンクション）があるといってもよいでしょう。

たとえば、公職選挙法と政治資金規正法において有罪の判決を受けると、公民権停止の処分がついてきます。

公民権が5年また10年の停止になる。つまり、これだけの期間選挙に立候補できないということは、事実上、政治家生命が終わるということです。

広島で起きた河井夫妻選挙違反事件※は記憶に新しいですが、河井案里氏と夫で元法務大臣の河井克行氏はそれぞれ有罪で公民権停止の処分を受けています。所定の期間、選挙に立候補ができません。

そういう状況下では、「立証を困難にするために物証を残さない」という方向に政治家が

※2019年、第25回参議院議員通常選挙中に、妻の河井案里氏を当選させるために大規模な買収が行なわれた公職選挙法違反事件。

動いてしまうようにも考えられます。

裏金問題は過去にもあったし、現在進行形で生じています。自民党が30年前と同じようにルールを自ら変えたところで、次も起こるのではないか。

なぜ繰り返し起こるかというと、「収入を正確に記載しなければならない」と政治資金規正法で定められているにもかかわらず現状では正確でない内容を記載できてしまい、なおかつ立証が困難だから、というのが一般的な説明です。

しかしこれは裏を返すと、立証されてしまうと政治家生命が断たれるので、政治家は立証が困難ないまの状態を変えたくない、ということでもあります。**つまり、公民権停止という重すぎる罰則があることによって、政治家は情報の透明化や公開を積極的に嫌うし、隠すわけです。**裏帳簿にして自由になるお金を作りたがる。自由になったお金を何に使っているかはわかりません。私腹を肥やしているのかもしれないし、実際には事務所の懐事情が苦しく維持費に使っているのかもしれないですけど、とにかく脱法的で使途の見えないフリーハンドのお金を作りたがります。それでは問題は解決しないように思えます。

情報公開と透明性を確保するのと、もう少し中間的なインセンティブ、つまり政治家が法令を遵守するためのインセンティブのあり方があり得るのではないでしょうか。

そもそも論として、選挙には、我々から直接見えない形で相当なお金だったり時間だったりというコストがかかってることは間違いないですよね。だとすると裏金についても、単に私腹を肥やすためという人もいるのかもしれないけど、どちらかというと、やっぱり次回当選するためにお金があったほうが有利で、選挙結果を左右するために使っている人もいるかもしれませんね。というと、裏金議員を擁護しているみたいですけど……。

でも、実際に着服しているかもしれないですよ（笑）。領収書もいらない、源泉徴収もされない、要するに流れや使途がまったく把握されないお金なわけですよ。普通に考えたらおいしいですよね？　やはり私腹を肥やすような使われ方もしているのではないでしょうか。
とはいえ、安田さんがおっしゃる通り、政治活動にお金がかかるのは事実で、当選回数の少ない国会議員などは事務所を回すためのランニングコストに対して収入が足りないからそこに使っている、ともいわれています。

また、国会議員本人の移動には経費がかからないわけです。JRのフリーパスとか無料航空券があるので。でも一緒に移動する人のコストはやっぱりかかるんですよね。そういうところに政治活動をするランニングコストみたいなものが結構かかるようです。

さらに国会議員が当選するためには地元での活動量が大事だというときに、それを代わりに担うのは地方議員たちです。地方議員たちが、国政選挙のときに「Aさんをお願いします」といった形で、国会議員に代わっていろいろ活動するわけですが、その際にも「経費」がかかります。それに使われるのが政策活動費です。ですから、政治活動をするには通常の会社員の経費などとは違う使い方のお金が発生するのは間違いなさそうです。


政治家に資金をある程度自由に使わせながら、記録も残しつつ、残させつつ、同時に、違反者に対し正しくペナルティとして機能するような制度はどんなものがあり得るのか。

具体的にどんなものなのかぼくはイメージしにくいので、安田さんのお考えがあったらお聞きしてみたいと考えています。

インセンティブと情報の非対称性を考える

YOSUKE YASUDA

そもそも過去にも何度も繰り返されている裏金問題ですが、疑惑がニュースで騒がれているときの印象はあっても、その後どうなったのかはぼくも含めて、ほとんどの人が追えていないのではないでしょうか。「裏金問題のその後」は、我々にとってはあまり関心が高くないといえます。

しかし、政治家の先生方からすると裏金の存在を認めてしまうと最悪な結果が待っているので、一生懸命、何としても有罪にならないような方向に頑張る。あるいは、有罪になるような証拠は極力残さない。

そうすると何も証拠が出てこないので、本来非常に疑わしくても起訴できないということになります。

また、裏金問題など不祥事が起きた場合、要職に就いている人、たとえば党の三役とか大臣だった人は、それによって辞職する場合が多いですよね。

ただ、自民党を去るわけでもなく、代議士を辞職するわけでもない。でも、それぐらいのペナルティだからこそ、一旦疑惑が出たときに一定の責任は取れる。

これがもし、**未来永劫大臣になれないとか、公民権停止のような厳しい罰則に直結してしまうと、そもそも責任を取ろうとしない。最初から一切認めないという方向に行くかもしれません。**

そうしないために「何かもう少し罰則を刻むというやり方があるのではないか」というのが西田さんのご意見ですよね。まさにご指摘の通りで、刻まないと、0か1かの世界になってしまって、そもそも悪事を何も認めない状態になってしまう。

「悪事を一切認めない」が引き起こす最悪のインセンティブ

また、もう1つの「0か1か」が引き起こす問題点として、日本に固有の慣習なのか、ぼく自身もよくわかりませんが、「責任を取って死んでしまう」ことが稀にあります。そうすると、「死人に口なし」ということなのか、亡くなったんだから、これ以上は追及をやめようという流れになる。

言い方は悪いのですが、「この人さえ亡くなれば追及がなくなるので、誰かに責任を取ってもらう」とか「自分さえいなくなれば、ほかの人たちはもうとりあえずお咎（とが）めなしだ」と思ったら、**自分自身を含めある特定の個人を追い込むインセンティブ**が働きます。だからこそ未だに先進国とは思えないような、不透明な自死だったり、他殺すら疑われるような関係者の死亡がときどき起きる。

有名なところだと竹下元総理※の秘書が自殺しています。ちなみに亡くなると警察のリソースの無駄遣いを止めるため、被疑者死亡で捜査が止まります。ですから、確かに安田さんがおっしゃる通り「お咎めなし」である意味「解決」してしまいます。最悪です。

仮に、重要な関係者が亡くなったあとも何らかの形で捜査が続くとか、あるいはメディアも追及し続けるみたいなカルチャーがあったとすると、死ぬこと自体の意味がなくなります。そうすると、究極的に追い込まれる人はむしろ減るかもしれません。

だから、誰かが亡くなった場合、もちろん悼む気持ちは大切ですが、その人に生前何が

※竹下登（1924年～2000年）：第74代総理大臣。かつての自民党の最大派閥、経世会の創設者。消費税を導入した総理大臣として知られる。リクルート事件により内閣総辞職。

あったのか、少なくとも疑惑の当事者たちの追及は止めないようにしておけば、あえて責任をかぶって死んでしまう人は生まれにくいですよね。

本題から少し逸れますが、「責任を取って死んでしまう」ことについて補足します。たとえばロシアなどでは、プーチン政権の闇を追うジャーナリストは大体、謎の死を遂げます。クーデターを起こしたプリゴジン※が乗った飛行機はなぜか墜落しました。

ここには為政者に歯向かった場合の非常にあからさまな罰則がありますが、それはやはり国の政治体制が違うからです。

民主主義、自由主義国家の日本において、当事者たちのある種の「空気」のなかで、本人ないしは周りからのプレッシャーで自発的に死んでいくのは怖いですよね。

西田さんの問題提起に戻ると、だからこそ、0か1かではなく徐々に罪が重くなるグラデーションがあれば、「誰かが亡くなることで追及が終わってしまう」みたいなインセンティブが収まることは間違いないので、**段階的なインセンティブ装置のようなものを社会に埋め込んでいくのは有効な手段**です。

そのためには先ほど西田さんが言及した**政治資金の透明化を促す**ということと、いま

※エフゲニー・プリゴジン（1961年～2023年）：ロシアのオリガルヒ（大ブルジョアジー）、民間軍事会社の創設者。「プーチンのシェフ」という異名を取り、長く側近として仕えたが、「ワグネルの反乱」を起こし国外へ亡命。その後、不可解な飛行機事故で死亡。

言っているような政治家の法令遵守のモチベーションを高めることが並行して必要です。
これを同時に促すようなインセンティブは、どういうものがあるか考えてみましょう。

「情報の非対称性」をどう埋めるか

経済学的に考えるにあたっては、やはり何にお金を使っているのか、どういう意図でそういった政治資金を増やしているのか、わからない部分があります。これが「情報の非対称性」といわれるものです。

1つには、この情報の非対称性を埋めるように記載ルールを細かくして、例外を認めない形にしていけば、深刻な虚偽記載をしない限りは、どういう形でお金を集めているのか、使っているのか、いま以上につまびらかにはなっていきますよね。

とはいえ、この情報の非対称を埋めるアプローチではやっぱり限界があります。

それこそ細かく「1円から領収書」のようなルールにしてしまうと、おそらく政治家は嫌がるでしょうし、実務に支障が出るのではないでしょうか。

支障が出るのかな。なんで出るんだろう。

たしかに、言われてみるとあまり支障はないのかも(笑)。ただ、追加の時間や手間がかかることは間違いないので、トレードオフはあると思います。

一定のところまで情報の非対称性を埋めるとして、次は、週刊誌なのかテレビなのか、インターネットのタレコミか、そういった疑惑が報道されたときです。そのとき最終的な刑事罰に行き着く前に、たとえば次の当選が厳しくなるとか、政治家が嫌がるような、「こうなってしまったら困る」という将来のデメリットが、何らかの形である程度はっきりと表れるような仕組みを、補助的に作っていくしかないはずです。

企業における情報の非対称性

少し話が脱線しますが、不法行為、脱法行為をやっているような企業、法律違反をしている企業をどう見つけ出すかという場合にも、深刻な情報の非対称性があります。

2023年に発覚したダイハツの車両の認証申請における不正事件では、非常にわかりやすい不正をしていても長年外に出てこず、内部告発があってはじめて世間の知るところになりました。

政治家の裏金と同じです。なかの人はある程度知っているかもしれないんだけど、それが外部にまったく伝わっていない。外部からプレッシャーをかけて情報を引き出そうとしても外に出てこなかったということは、第三者がルールを強制しても、その通り動いてくれるとは限らないわけですよね。

ただ、少し発想を変えると、**内部告発しやすくなるような情勢、内部告発を促すような仕組みを作ってあげるという手はあるかもしれません。**

監査機関やルールもそうかもしれないですし、企業に関していえば、内部告発をする告発者を何らかの形で保護したりという対策ですね。

告発者が周りから糾弾されて会社に残れなくなるとか、告発自体が通ってもその人は職場を去らざるを得ないとか、その後、告発したことを理由に人事上、あるいは待遇上の不利益を被ることがないような仕組みがないと安心して告発はできません。

ですから、ある程度、告発しても自分は安全だと。「社会的に見て、あるいは本来の企業のやるべきことからして、けしからん内容だ。これはぜひとも白日のもとにさらしたい」と考えるような人を生み出せる土壌をまず作らなきゃいけない。

政治の世界でも近いことができるのであれば、不正をしている政治家にある程度身近なところにいる人で、「これはよくない」と考えた人が声を挙げられるかもしれません。

さまざまな方法で情報の非対称性をある程度なくせたとしてもゼロにできない以上、それが違法、脱法行為まで行っている場合には、誰かしら気づいた人が外部に知らせるためのチャンネルを広くしておくというのも、発想としてあると思うんですよね。

「課徴金減免制度」の試み

経済界では、どのような対策が取られているかというと、「課徴金減免制度」というものがあります。

これはカルテルや入札談合を摘発するために作られた制度です。

カルテル、談合などもやはり、深刻な情報の非対称性があるわけです。

カルテル当事者はもちろん知っていますけれども、情報のやりとりが巧妙だったりとか、あるいは証拠を残すような杜撰(ずさん)な談合は、いまどき企業はやらないので表には出ません。そうすると、公正取引委員会が疑わしいと思ってもなかなか証拠を発見できません。証拠がなければ疑惑止まりです。

そこで何を考えたかというと、罰則を軽くするから「タレ込んでくれ」と。

当事者ないしは当事者の事情を知っている人に自発的に告発をさせて、告発をさせる以

課徴金減免制度の申請順位と減免率

調査開始	申請順位	申請順位に応じた減免率	協力度合いに応じた減算率
前	1位	全額免除	
	2位	20%	＋最大40%
	3〜5位	10%	
	6位以下	5%	
後	最大３社(注)	10%	＋最大20%
	上記以下	5%	

注：公正取引員会の調査開始日以後に追徴金減免申請を行なった者のうち、減免率10%が適用されるのは、調査開始日前の減免申請者の数と合わせて５社以内である場合に限る。

上は何かしらリターンがないといけないということで、調査開始前に告発したり、自主的に証拠を提出したりした最初の企業に関しては最終的に科されるカルテルの罰金を全額免除、２社目では20％免除など、大幅に減免されるんです。

これが、少し調査が進んでからだと、減免率は最大でも10％と、大きく下がります。

つまり、調査開始後に観念して証拠を出すのと、調査が進む前に自発的に出してもらうのとでは大きな違いがあるので、調査前に早めに出す企業ほど減免度合いが高くなるように設計されています。

公正取引委員会によると課徴金減免制度、国際的にはリニエンシー（leniency）制度と呼ばれるものですが、この制度を導入することによって、摘発されたカルテル件数は非常に増えたということです。彼らの言い分としては、もしリニエンシー制度を導入しなければ見つけられなかったようなカルテルを多数摘発できたと。大いなる成功だというストーリーになっているんですね。

ただ、専門的な見地からは、公正取引委員会の言うように全部バラ色の話かというと、ちょっと疑わしいところもあります。それは「カルテルをやっていたけれど、困ったことにばれそうになってきた」というような状況です。

その場合、「これはもう早めにタレ込んだほうが、被害が少なくて済むかもしれない」と思うでしょう。最終的に何％の減免を受けられるかにもよるんですけれども、制度導入前はカルテルをして普通に捕まると減免がなかったわけで、罰金額も相当です。

それが減免されるということは、カルテルがばれなそうだったら続ける。でもばれそうになってきたら、誰が最初にタレ込むかはさておき、リニエンシー制度を使って罰金を減らそうとするということができますよね。そうすると、カルテルをやって最終的にばれたときのダメージって小さくできるじゃないですか。

しかし、ダメージが小さいんだったら、そもそも「カルテルもうちょっとやってみようか」となりそうです。リニエンシー制度があるいまこそやろうか、という発想もあるかもしれません。たとえば極端な話、「何番目でも１００％免除されます」のような寛大な減免をしてしまうと、カルテルをやるデメリットが消えますよね。

そのため、いまの日本の課徴金減免制度が、事前のカルテルを始めようとするインセンティブをきちんと抑えつつ、カルテルに取り組んでいる人たちの集まりを自発的に壊すような、本来望んでいるインセンティブだけ引き出すことができているのかは、よくわかりません。なので、公正取引委員会の試みは間違いなくすばらしいですが、リニエンシーが全部大成功と額面通り受け取るのは若干危険だと思います。

「事前のインセンティブ」と「事後のインセンティブ」

また、もう1つの視点としては、「一番不正を行なっているリーダー企業が、一番に逃げ切れる」可能性についても言及する必要があるかもしれません。

たとえば最近の日本で起きた談合事件というと、2023年に大きな話題となった「電力カルテル」[※]事件があります。あのときも、不正を主導していた関西電力が一番に申し出て逃げ切りました。

カルテルを主導していた企業=首謀者が最初に申し出たら全免され、追随していたほか

事前のインセンティブと事後のインセンティブ

事前のインセンティブ

宝箱を
とらなかったら
捕まらない

でも目の前に
あるし、
バレないなら
とっちゃおうかな…

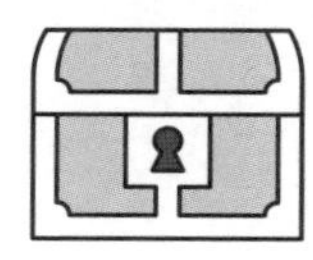

事後のインセンティブ

の企業は重い課徴金を課される。

一見、公平性とか公正さの観点からすると問題がありそうですよね。

これは先ほどお話ししたカルテルを起こさせない「事前のインセンティブ」と、起きているカルテルをどう壊すかの「事後のインセンティブ」で切り分けて議論すると理解しやすくなります。

事後的、つまり、すでに存在するカルテルを壊すためには多少アンフェアな側面があっても、首謀者とはいえ、告発してくれたら大幅に減免するというやり方が有効です。

カルテルの首謀者は往々にして業界内で一番規模が大きいリーディングカンパニーのことが多いので、当然カルテルによって受けてる恩恵も大きい。逆にいうと、罰金になった

※電力販売を巡り関西電力が中部電力、中国電力、九州電力に「相互不可侵」を持ちかけたとして、独占禁止法違反で課徴金納付命令が下された事件。最初に申し出た首謀者の関西電力はお咎めなしだったものの、他社は中国電力が約707億円、九州電力が約27億円など、総額1千億を超える高額な課徴金を課せられた。

ときの支払いペナルティも大きいということです。彼らからすると、まっ先に告発するインセンティブがほかの企業に比べると高いかもしれません。かつ、首謀者ということは証拠をたくさん持っています。

公正取引委員会からすると告発しても十分な証拠がないと有罪にできない可能性があるので、首謀者からの告発は非常にありがたいはずです。

いま起きているカルテルを壊す、「事後的なインセンティブ」を引き出すためには、多少のアンフェアには目をつぶって、首謀者であっても大幅に減免をするいまのアプローチが適切なのかもしれません。

ただ、「事前のインセンティブ」の話でいうと、業界のリーディングカンパニーが「この業界は徐々に右肩下がりなので、ここらでもう談合するしか生き残る道はない」と思ってカルテルを始める。そのとき「やばくなったら自分からタレ込めばいい」という発想の企業が出てこないとも限りません。

そこで、仮に首謀者であれば減免の度合いが低いということになると、そもそも「やばくなったらタレ込めばいい」と考えてカルテルを起こそうとするインセンティブは下がるはずなんですよ。

ですからその場合は、「事前のインセンティブ」の視点から、首謀者の場合はあまり減免

しないというある意味フェアな仕組みにしておくと、そもそも首謀者がカルテルを起こそうとする発想は減らせるかもしれません。

あと、公正取引委員会がそこまで考えているかわかりませんが、仮に電力カルテル事件のように、リーディングカンパニーである関西電力がまっ先に自主的に告発をして全額免除を受けると、「明らかにアンフェアだ」とカルテルに属していたほかの電力会社は感じると思うので、今後また関西電力と一緒にカルテルをやるかといえば、多分難しいですよね。それは、公正取引委員会からすると超理想です。次のカルテルが起こらないので。

将来にまた同じ業界のリーディングカンパニーが主導するカルテルを難しくするという意味では、現行のアンフェアなルールが優れているのかもしれません。

政治家にとっての「カネ」と「票」

RYOSUKE
NISHIDA

前節で安田さんにお話しいただいた課徴金のような仕組みでかえって談合が起きやすいということは、参入する事業者の数がある程度寡占になるマーケットということですよね。政治もそうなりやすいんじゃないかという気がしていて、それというのも、日本の政治家たちはインナーサークルの感覚を共有しているように見受けられます。

そもそも、我々がネットやテレビで見かける以上に与党と野党の国会議員たちはコミュニケーションをしています。カメラに映る場面では彼らは対立するのですが、そうではない場面では相当にコミュニケーションするわけです。

政治の世界は衆参合わせて713人です。それぐらいの数の個別の利害関係がある事業者が実際はいるのですが、政党単位でまとまりを作っています。**713人がいくつかのグ**

ループになっている、ある意味寡占的なマーケットと疑似的に見ることもできるかもしれません。

そうだとすると、課徴金とはちょっと前提条件が違うとは思いますが、同様の仕組みを考えることができないでしょうか。

政治と金に関しては与野党ですごく非対称性があるはずです。理由は単純で、政治的な影響力が小さい野党に献金をしてもあまりメリットがないので、与党に集中するからです。そうすると、やはり非対称な状況、カルテルでいうと首謀者とそれ以外のような構造はあるのかもしれないですね。

政治資金規正法上、1回で1000万円以上集める特定政治資金パーティがありますが、日本経済新聞の調べによれば、そのパーティの開催実績の95％以上が自民党です。

課徴金のアイデアを当てはめると、与党の議員で本当は知っていて指示したのかもしれないですが、「私の帳簿を見返したところ、起きてはいけないことが起きていました」と積極的に認めて、「修正し、きちんと記載しました」と言ったら、お咎めなしで、2番手以後、徐々に重たい罰則が科せられるというような、段階的だったり談合防止に似たサンクションの仕組みは、それこそたくさん献金を集められる議員から積極的に見直す機運を醸成しやすいかもしれません。

つまり、政治家あるいは政党自らが、法令を遵守していくようなインセンティブになり得る可能性があります。


ただ、ここで重要なのが、**政治に影響を与える要素はお金と票ですが、決定的に影響するのは票だ**ということです。

彼らはやはり、「政治家であるかどうか」ということをものすごく気にします。現職であるか否かということですよね。

一番大事なのは票、その次がお金。つまり、単にお金のやりとりをしているビジネス上のマーケットとは少し違うと思うんですよね。お金よりも票のほうが影響する。こういう要素を加味すると、どんな仕組みが可能でしょうか。

1990年代の壮大な社会実験
――小選挙区比例代表並立制の導入とインセンティブ

YOSUKE YASUDA

西田さんは票と表現されましたが、これは「当選」と同義のはずです。そして当選の仕組みを変えるということは、西田さんもよくご承知ですが、一度行なわれていますよね。1990年代の選挙制度の改革です。

そもそも、代議士の先生方にとっては、次の選挙があったときの自らの当選確率をどれだけ高められるかがファーストプライオリティではないでしょうか。

もちろん、自分の肝いりの政策を実現したいなど崇高な野心もあるはずですが、本音の部分ではいかにして次も当選するかを四六時中考えている人が大半のはずです。

それを逆手に取って考えると、議員としての普段の努力であったり、自分の資質向上を積極的に行なえば行なうほど当選しやすくなるような形に選挙のルール自体を変えていく、という発想が自然と出てきます。

西田さんが政治と金の問題について、30年前にも同じことがあったと指摘されました。企業からの不正献金や未公開株の譲渡のようなことがばーっと起きて、政治と金に関してお灸をすえるだけでは足りないという流れになりました。

このとき、献金やお金を集めた議員が有利になるという構造が現行の選挙制度から来ているので、そこを変えなければならないという形で自民党を飛び出した人たちがいて、結果的に**小選挙区比例代表並立制**が導入されました。


一連の流れを作り出したのは小沢一郎※氏や一緒に抜けた羽田孜(はたつとむ)※氏など、もともと自民党にいて新党を作った人たちです。ほかに新党さきがけの鳩山由紀夫※氏などもいました。つまり、もともと自民党にいて選挙制度自体を変えようとした人たちと、自分は外に出たけど協力した人たちが新しい選挙制度を築き上げる原動力になったと思うんですね。

そのときの発想はやっぱり、**代議士にとって一番プライオリティの高い当選=次の選挙の仕組みが変われば、そこでのインセンティブも変わるだろう**ということでしょう。

元を変えることによって、お金の流れも最終的には変わるんじゃないかというような発想でおそらく彼らは選挙制度改革をしたのではないでしょうか。

当時の小沢氏たちは、中選挙区制から各選挙区で1人しか当選できない小選挙区制に変えることによって金権政治の温床になっていた派閥の力も減るだろうし、結果として政治と金の問題も間接的に緩和されるんじゃないかということを信じていたわけです。

プラスアルファで、アメリカのような二大政党制に持っていくことで、政権交代がある程度起きるような民主主義を日本に根づかせたいという、多分2つのゴールがあったのだと思います。二大政党の話は一旦脇に置いておくとして、金権政治が多少なりとも軽減されたのかというところも重要です。

小沢一郎
（立憲民主党議員）

政界の壊し屋

自民党で要職を歴任後、新進党党首、自由党党首、民主党代表、民主党幹事長等を務める。2024年現在は立憲民主党所属の衆議院議員。2024年４月現在、最古参の国会議員でもある。

羽田孜
（1935年～2017年）

短期政権

1993年６月に自民党を集団離党し、自らを党首とする新生党を結成。その後、第80代内閣総理大臣に就任したが短期政権に終わった。

鳩山由紀夫
（政治家は引退）

宇宙人！

スタンフォード大博士課程修了という政治家としては異色の経歴。1993年に自民党を離党し新党さきがけ結党に参加、1996年に民主党を結党。2009年、政権交代を実現させ内閣総理大臣に就任。現在は政治家を引退。2013年、「由紀夫」から「友紀夫」に改名。

写真提供・首相官邸／衆議院

選挙制度の改革で減った金権政治

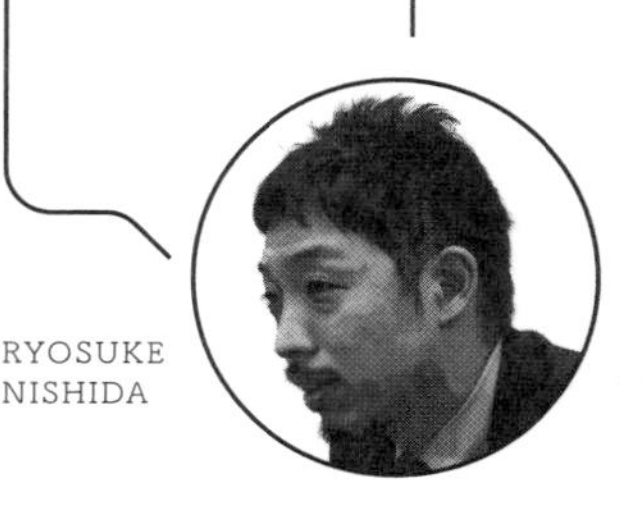

RYOSUKE
NISHIDA

安田さんのいまの指摘については、劇的に改善したという認識です。

1990年代当時の政治改革では小選挙区比例代表並立制の導入、政治資金規正法の厳格化、政党助成法の3点がセットになっていたと考えられるのですが、これにより一選挙区での同政党出身者による競争が緩和したことで政治家たちは表立ってはお金を撒かなくなったといわれています。

また、社会的なレピュテーション（評判、風評）が厳しくなって、企業が政治にお金を出すという行為があまりよろしくないという評判が立つようになりました。そのため、企業も政治にカネを出さなくなったということも指摘されています。この2つの側面によって完全には解決しないけれども、劇的に変わったということがおおむね一致する見解です。

読者のなかには、「選挙制度が変わった」ことで「なぜ、ばら撒くお金が減るのか？」と疑問を抱く方もいるかもしれません。

たとえば選挙のとき、同一選挙区で自民党から2人の候補が出てくると、所属政党だけでは区別がつかない、差別化できないわけですね。同じ自民党が背景にあるので主張も似てくるし、政策なども似てきます。

日本の場合、政党優位だとよくいわれます。個人よりもどの政党所属かが選挙の当落に強く影響することが知られています。自民党所属か、立憲民主党所属かが選挙の当落に非常に強く関係するのですね。なので自民党から2人の候補者が出てくると、そもそも票の奪い合いになります。そうすると自民党候補者間での激しい競争が生じるので優位に立とうとお金を撒いてしまう。そういうことが起こります。

中選挙区制度下で2人の候補者が出てくるときは、党内の異なる派閥から擁立されるんですか？

そうです。同じ派閥での戦いは各々の勢力拡大にほとんど意味がないですから。

金権政治と派閥の相互関係

いま、安田さんから「派閥」についての問いがありました。

そもそも、当時は疑似政権交代ということがいわれていた時代です。政党間の政権交代は起きていないけれども、総理の派閥が変わることは擬似的な政権交代だというふうに考えられていました。それぐらい派閥の力が強かった時代です。

ちなみに、派閥派閥といいますが、パーティ券事件の影響で派閥の解散が進んだこともあり、いまは自民党のなかにも無派閥の人たちが大勢います。２０２４年２月の段階で２３５人が無派閥であるのと同時に「最大派閥」です。

パーティ券事件の影響と前述しましたが、実は一方でパーティ券事件の前から脱派閥の動きは進んでいて、菅義偉(すがよしひで)元首相も勉強会である「ガネーシャの会」を作っていましたが派閥には属していませんでした。昔のほうが派閥の存在感が大きかったことは明白です。扱っていたお金も大きかったはずです。

では、派閥とは何かというと、長い時間軸のなかで形成された非公式のグループのはずなのですが、政治資金規正法上はその他の政治団体として届け出ることもできます。なかでも伝統的な派閥は事務所を持っていて、独自の財源があって、事務局長がいて、専従のスタッフもいて、所属議員の育成——つまり選挙の支援や、いわゆる餅代・氷代としてお金を撒くサポートもしていました。

また、昔は派閥ごとに政策的なカラーがはっきり分かれていました。

たとえば2024年1月19日に解散が決定された安倍派の清和政策研究会、昔の清和会であれば、基本的に保守的で憲法改正を主張していたわけです。

他方、宮沢元首相や岸田首相が所属していて2024年1月23日に解散した宏池会に目を向けてみれば国際協調、護憲のような形で来ていました。**政策的な主張がはっきり分かれていたので、かつては「どこの派閥に献金するか」「どの派閥を支持するのか」ということと、その業界の利益が直結したはずです。**

ところが、いまはどうなっているかというと、派閥ごとの主張には差がなくなってきています。自民党は全般的に保守的になりました。だから、やはり派閥の影響力は弱っています。そうすると**派閥ごとに献金するインセンティブはいちじるしく落ちているはずです。**

長年保たれてきた裏金と政策の「よくない均衡」

YOSUKE YASUDA

小選挙区の場合、各選挙区から当選するのは1人だけです。当たり前ですが、自民党、与党も1人しか候補を出しません。その場合、伝統的に自民党が強いとか、あるいはものすごく強い野党候補がいてほかは何をやっても駄目なところには、お金を出す必然性がありません。

もともと自民党支持者だったり毎回投票をしてくれたりするような人に、「今回もお金を出すので」と言っても有効性が限られます。**普段投票してくれなそうな人とか、ライバルに投票しそうな人を寝返らせるのが、得票という意味で一番効果があります**。でも、野党支持者を寝返らせるというのは結構大変だと思うんですよね。

一方、中選挙区制時代の自民党同士での戦いという世界に戻ると、自民党支持は決まっている。でもどの候補に入れるか決まっていない人はお金でコロッと、「あっちは1万円でこっちは2万円だったら、2万円のほうに入れるか」という話になってもおかしくない。そうすると最早、青天井で……という話ですよね。自民党同士の戦いだと実弾がものをいうことは、容易にイメージできます。


また、企業からの献金もボリュームが減ったと西田さんがおっしゃっていました。

企業側からすると、背後で法律が変わったこともありますが、昔はどの派閥に献金をするかで自社にとって都合のいい政策変更があるとか、いままで受けてきた優遇制度が持続して受けられるか決まってくるかもしれないという状況でした。だから自民党に献金をするのでは不十分で、派閥間で政策のスタンスが違うからこそ、「何とか派」とか「何とか会」を推さないと駄目という実情があったはずです。

企業側からすると、自民党が与党なのは揺るがない事実で、その上で適切な派閥に勝ってもらうためにお金を積むとなると、献金額は必然的に上がるだろうという気はします。

このことを踏まえると、ひょっとすると、「企業献金が難しくなったからこそ、派閥のカラーがなくなった」のかもしれません。


おもしろい。

パーティ券から少し話は離れますが、政治にまつわるお金ということで、この話をもう少し深めてみますね。

「**企業献金が難しくなったからこそ、派閥のカラーがなくなった**」とはこういうことです。

企業が自由に献金できる世界だと、本音ではそれほど政策スタンスが違わなかったとしてもA派閥とB派閥でスタンスが異なると、それぞれに献金をせざるを得ません。

反対に、どちらも似たような政策だとどっちに献金しても結局政策は同じなので、お金を積まなくても自分たちにとって都合のいい政策につながりやすい。なので献金レースを加熱させるためには、派閥間での政策スタンスが違うほうがおそらく好ましいわけです。

逆にいうと、政治献金が難しくなって少なくなると、もともと主義主張がそんなに違うわけでもない人たちが自民党に集まっているんだから、本来の姿というか、似たり寄ったりのままでかまわないということになってしまう。だから**因果関係としては、献金ルールを変えたことによって、派閥の個性がなくなったのかもしれません**。

最終的にちょっとグレーゾーンの献金が減るとか、本当に我々の生活のために必要かどうかわからない不透明なお金の流れが減ったという意味ではいいことですが、副産物として、派閥間でのカラーがなくなるのはいいことなのかどうか疑問です。党内で政策を競い合わせるような技術的な競争も失われるということになるかもしれないので。

また、もしかすると自民党に幅がなくなってきているから、野党の側にも幅がなくなってきている。つまり、ポジショニングしにくくなっているということもありそうです。

自民党のなかでも、ある種の「政策の幅」がなくなってきているとは感じます。現在、走っているのはAという政策、だけど別のアイデアがいくつも検討されているという雰囲気ではなくなってきている印象です。実際、2000年代に存在した政党シンクタンクもなくなりました。霞が関も疲れていますね。

仮にアメリカのような2大政党制に日本がなっていた場合には、自民党内に幅がなくても、自民党と対立野党との間に大きな差があれば、有権者としては一応選べます。献金先も、与党の自民党だけでなく、たとえば野党の立憲民主党という選択肢ができます。でも現状は、いまは基本的に自民党一択です。気がつけば昔の55年体制とあまり変わらないようになっています。

そのうえ、自民党内での派閥同士の擬似的な競争がなくなってしまったからこそ、政策の幅が損なわれています。**お金に関してはある程度クリーンになったかもしれませんが、**

政策や政治の熟練度の面では、若干後退してしまった可能性はあります。

これは安田さんがよく言っている、「よくない均衡」なんじゃないかという気もします。「好ましい均衡」にシフトしていくにはどうすればいいんですか。

直接選挙の余地が「よくない均衡」を是正する？

1つは、いままで議論してきた選挙の仕組みを変えるとか、お金の流れを変えること、現状と逆のことをやれば戻るかもしれません。ただ、いまさら中選挙区制に戻して企業献金も復活させるというのは現実的には難しいでしょうし、弊害も大きすぎますよね。

もう1つは、直接政策を変えることには使えないかもしれませんが、**ある種の直接選挙のようなことができる余地というか土壌を生み出していくことが考えられます。**

文字通りの直接民主制のようなことは難しいとは思いますが、たとえば自民党のなかでいくつも重要なアジェンダがあるときに、自民党員の人たちに投票してもらう。そうすると、国会で議論する前に、少なくともいまの自民党の支持者たちにとって重要性の高い政策のアジェンダはこれだとか、いまの自民党の掲げる政策でいいと思っているもの、いまいちだと思っているものが見える化されてくるかもしれません。

自民党党員たちによる前段階的な投票というか民意を経て、実際の法律改正や国会での議論につなげるようにすると、間接的な形でどういうアジェンダが重要なのかということが国政に反映されるかもしれないですね。

別に自民党だけではなく、同じようなことを立憲民主党とかもやってもいいですし、実際問題、公明党はすでにやっているんですよね。

公明党は、若者の政治参加促進の方法として、街中とネットで政策への関心を可視化して総理に届ける「ボイスアクション」という取り組みを行なっています。

総論として見ると、自民党のなかでも多様性がなくなってきて、政党間の違いも見えにくくなっている。しかし、そのなかでも個々の有権者や個々の政党支持者からすれば、思いは結構多様なわけなんですね。それを汲み取っていくようなチャンネルを作るという発想があるかもしれません。

経済学における**社会選択理論**※（ソーシャルチョイスセオリー）や投票理論で、この10年くらいの間に大きな進展がいくつかありました。1つには具体的に新しい投票の仕組みが提案されました。いろいろな理論実証研究を基にすると、使い方によってはブレイクスルーになるかもしれない投票の仕組みが出てきています。

たとえば、**クアドラティック・ボーティング**（**QV**）という仕組みです。

これは、最初に投票するためのボイスクレジットのようなものを配ります。クレジットの数をいくつにするかはデザインできますが、たとえば有権者1人当たりに100クレジットを配るとします。いくつかアジェンダがあって、どのアジェンダに何票投票するかを、各人が受け取ったクレジットをどう分配するかで変えることができます。

その際に1票投票するためには1クレジットでいいのですが、2票投票するためには、2の二乗で4クレジット必要で、3票の場合は3の二乗で9クレジット必要です。二乗の項を含む二次関数は英語で「クアドラティック・ファンクション」なので、そこからQVという名前が来ています。

※社会選択理論（social choice theory）：個人の持つ好みをもとに意思決定するべき問題に対して、社会的な決定ルールはどのようなものが望ましいか、どのような性質を持つかなどを議論・分析する理論体系のこと。集合的選択理論や社会的選択理論ともいわれる。

クアドラティックボーディング

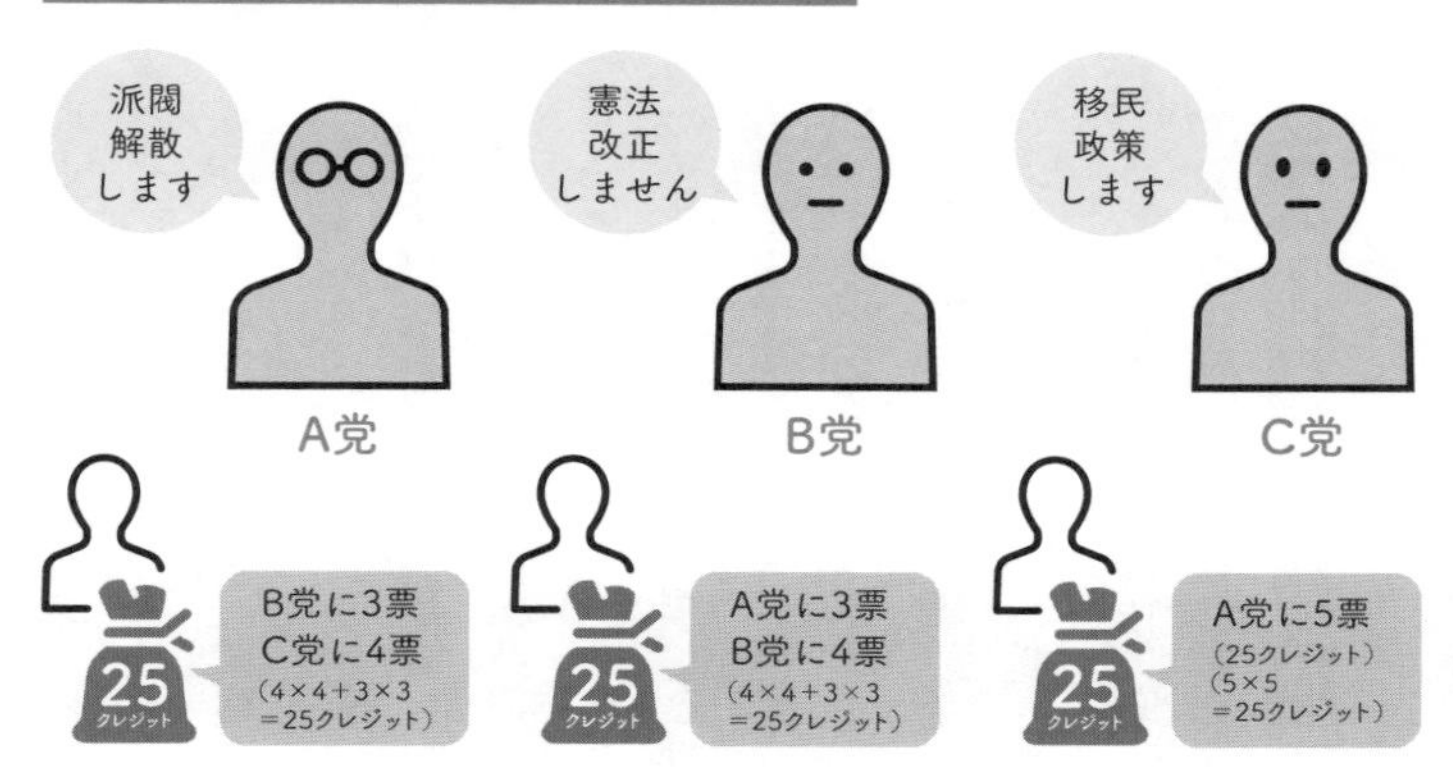

昔から複数アジェンダがあるときにそれぞれウエイトが同じではなく、特定のアジェンダのほうがより本人にとって重要だったら票を貯めて、2倍投票できるようにするというアイデアはありました。ストアラブル・ボーティング（貯められる投票）というものです。

それを洗練させた形で、最初に配るクレジットはみんな平等にしておくのですが、どのアジェンダに関心があるかは人によって差があるので、いろいろな形で自分にとって関心の高いアジェンダに多くの票を投じることができるのがQVの仕組みです。

たとえば女性活躍に関心がある人はそこに2票3票と投票するかもしれません。教育に関心がある人はそちらにたくさん投票できます。ただ最初に配るクレジットが個人間で違うような不平等な扱いはしませんというルールです。

台湾のデジタル担当大臣であるオードリー・タンがこの仕組みを気に入っていて、台湾の政策系のハッカソンなどで、試験的に導入されたりもしています。

ちなみに実際に選挙に使う場合には、「誰々に賛成する」という形で1票を投ずるだけではなく、「この人には反対」にも投票できるケースが多いです。つまり、Ｎｏを言える仕組みにできるということです。

普通の多数決だとプラスの票しか投票ができないので、ある程度の票が集まれば当選できてしまいます。**ところがＱＶを導入すれば、「そいつは絶対嫌だ」とか「その政党は許せない」という人はマイナスのほうに投票できます。**当選させたくない候補者に対してマイナスの票を投ずる一方で、自分が推したい人にプラスの票を投じることができるようになるので、いまの単純多数決の小選挙区制とは結果がずいぶん変わってくると思います。

ただ、かなりオペレーションが難しいのとルールを理解してもらうのは大変なので、国政選挙でやるのは無理かもしれません。実現可能性があるとしても、議論を国会などで行なう場合に限られるのではないでしょうか。

政策の画一化の先にあるもの

YOSUKE
YASUDA

前節では投票の仕組みを変えることで、「よくない均衡」を変えられるかもしれないということをお話ししました。

次に少し強引ですが、政治の世界でも応用される**「ホテリングの立地モデル」**から考えてみましょう。

これは経済学者のハロルド・ホテリングが考えたもので、「ホテリングモデル」と呼ばれることもあります。企業やお店の立地をどこにするかという問題が出発点です。

たとえば神社でお祭りがあるとして、境内に目抜き通りがあって左の端が0、右の端が1。0から1までの場所に出店できるとします。似たようなたこ焼き屋さんが2店舗出店しようとする場合、どこに立地しますか？　なお、お客さんは0から1までまんべんなく散らばっていて、個々のお客さんは自分のいまいる場所から近いお店に行って1個だけ商品を買えます。価格や味は決まっていて、特に変更できないものとします。たこ焼きだったらどちらも1パック500円で、おいしさは同じです。たこ焼き屋さんはそれぞれどこに立地しようとするでしょうか？　というような問題なんですね。

まず、たこ焼き屋の場所が離れていたときに何が起こるかを考えてみましょう。

たとえば中心から同じくらい離れたA地点（左）とB地点（右）に立地している場合、お客さんは当然近くのお店に買いにいきます。左端からAまでのお客さんはAに買いにいきますし、右端からBまでのお客さんはBに買いにいきます。AとBの間に散らばっているお客さんは、真ん中よりもAに近い人はAに買いにいく、Bに近い人はBに買いにいくという形で、お客さんがA派とB派の2つに分かれます。

このときに、それぞれのお店はライバル店に近づけば近づくほど、自分のお店で買ってくれるお客さんを増やせます。なぜかというと、AとBのちょうど中間よりも自分に近い人たちが全員、自分の店で買ってくれるからです。

この中間の線は自分がにじり寄れば寄るほどより相手側に押し入れるので、直感的にいえば、ライバルに近づけば近づくほど獲得できるお客さんが増える。**なので、ゲーム理論**

ホテリング理論

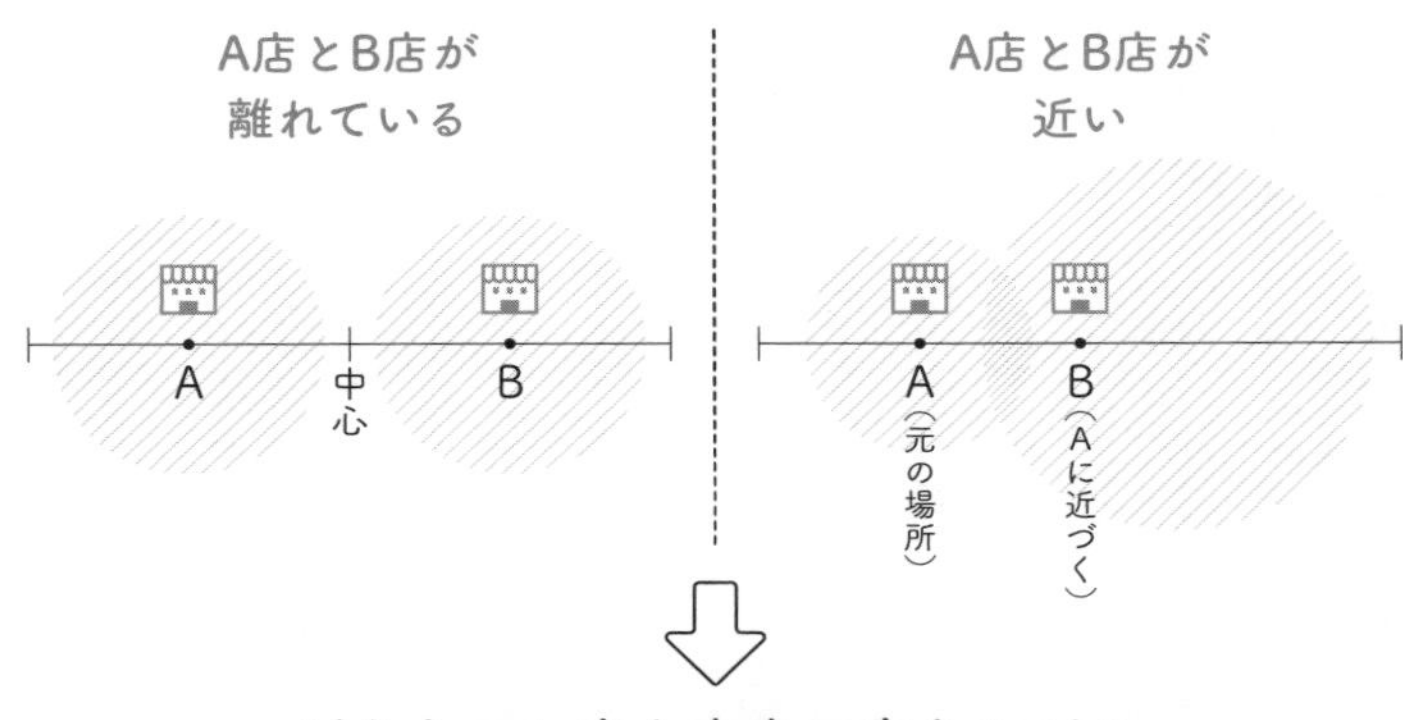

どちらのお店も中央に寄りたがる

で分析すると結果的に、どちらのお店も真ん中に立地したがることがわかります。

このホテリングモデルは現実の世界でも、いろいろなところに応用されています。たとえば、交差点の近いところにカフェやコンビニが隣接しているとか、銀行が複数並んでいるとかがイメージしやすいでしょう。

製品の差別化をしたい場合などで、保守的なデザインと前衛的なデザインが候補として出されているにもかかわらず、保守的すぎず斬新でもない中庸に落ち着いてしまうのもホテリングモデルの応用です。若者向けとシニア向けで、中途半端な真ん中に寄ってしまうとか、ともすると凡庸なところに寄ってしまいます。

その結果、製品の差別化が起こりにくくなる。このインプリケーションは別名「最小差別化の原理」といわれたりもしますが、健全な競争の結果、より多くのお客さんや、政治の世界だとより多くの有権者を獲得しようとして、気がつけば中庸なものになってしまう。

選挙のコンテクストでいうと、リベラル寄りの人から保守的な人まで有権者の好みが散らばっているときに、本来政党の理念とは違うはずなのにやっぱり真ん中のところに寄ってきてしまうということです。

アメリカでも気がつけば共和党と民主党が似たような政策を提案するというのは、何も政党間で談合しているわけじゃなくて、健全な競争の結果、より多く有権者を獲得しようとすると尖った政策が失われ、中庸な政策に収束していくからなんですね。

これは政党が3つ4つと増えていくと話は違いますが、二大政党の場合は「二大政党制のジレンマ」といわれるように、真ん中に寄るんじゃないかといわれています。

この話を踏まえつつ、先ほどの立地問題に価格競争の要素を入れたらどうなるか、と考えるのは自然な疑問です。経済の問題の場合は物の値段も店が決めるはずです。同じ立地だったら、お客さんは1円でも安いほうから買おうとします。その結果、まさに「底辺への競争（最低水準へと向かうこと）」が起きてしまうかもしれない。

差別化要因がないと、やはり価格競争は激しくなります。でも、お互いに全然違う商品を売っている場合には、価格競争が緩和されます。

そのため、立地だけでなく価格まで選べる場合、つまり価格＋出店場所や製品の差別化という2軸での競争の場合には、実はライバルとの物理的な距離をあけたくなることが知られています。お互いに近づきすぎると、本当に「底辺の競争」が待っているからです。


このように、お金での競争がない1軸で政策を戦わせる場合に、派閥間で自分たちの支持者を増やそうと思ったら政策が似てくる＝中庸に寄ってこざるを得ないので、個性がなくなってしまうというのは、ホテリングモデルで一応説明できます。

ところが、背後での献金などお金的な要素があるなど多次元で競争していると、派閥間で差別化したほうが強烈な支持者たちから献金を獲得できたりするかもしれません。そういった面でプラスが大きいかもしれないということです。これはホテリングモデルでいう立地＋価格という2軸での競争に近いからです。

だとすると、派閥間で政策スタンスが違うというのは、背後に企業献金がたくさん来るといった副作用もあるということなのかもしれません。

進む政治の原理主義化

RYOSUKE NISHIDA

前節の安田さんの指摘は非常に刺激的です。

政党政治の文脈で置き換えてみると個性がなくなっていくのは危なっかしく、原理主義になっていくということです。たとえば、何がなんでも憲法改正や、とにかく排外主義、安全保障強化などになるわけですよね。それぞれのグループの政治家たちが似たようなことを主張している。右も左もそう。現状をうまく説明している印象は強いです。

自民党は安全保障についてはタカ派一色。それから、移民受け入れに関しても基本的に反対。なんだかんだで多様性尊重やLGBT尊重に関しても否定一色です。

収斂していくことを「色がなくなっていく」というと穏当な感じがしますが、政治の文脈でいえば「原理主義化している」ということで、まさにいま起きていることに重なって見えてきます。

第2次安倍内閣で内閣官房に権力を集中させましたが、これも派閥間で政策的なスタンスに差がなくなってきて、「やることが一緒なら」と、対野党や対省庁の関係で権力を内閣にという雰囲気が醸成された面もあるのでしょうか。

第2次安倍内閣で行なわれた内閣官房に権力を集中させる制度改革の背景として、それまで通説としていわれていたことは2つあります。

日本の総理大臣は指導力が弱すぎるということと**任期が短すぎる**ということです。

1980年代頃から、たとえば中曽根康弘元総理が「日本にも強い指導力を持った総理が必要じゃないか」ということを言っていました。それは「大統領的首相」とも呼ばれました。小泉純一郎元総理も大統領的首相だったといえるでしょう。

長い間試行錯誤がなされ、橋本政権の下で、1府12省庁の再編と内閣官房と内閣府を中心とした機能強化が試みられました。

中核的な構想が総理への権限の集約でした。日本は官僚の影響力が強すぎて総理ができることが少ないため、総理に権限を集約するという問題意識が出てきます。

この主張はその後、民主党にも引き継がれていきます。民主党政権の場合は立法でこれを実現することはできなかったので、最初は「国家戦略室」という形で始まりました。

それが第2次安倍政権に引き継がれて、高級官僚の人事を内閣人事局、つまり官房長官の直下に集約していきます。彼らが官僚人事を直接的に差配、管理することで、指導力を持てるようになったというのが通説的な説明です。

ここまで、裏金問題から端を発し、「お金の問題」について思考を重ねてきました。経済学的で具体的な対策も出つつ、お金も重要ですが、それ以上に代議士は票、官僚は人事のように、彼らが重視しているところはマーケットとかなり違うということも実感できたのではないでしょうか。

中曽根康弘
（1918年～2019年）

戦後首相で2番目に長生き

衆議院に連続20回当選し、1970年代の自民党における実力者の1人。首相時代は悪化していた日米関係を改善。101歳まで生きた。

橋本龍太郎
（1937年～2006年）

政界の一匹狼！

1994年発足の「自社さ連立政権」の村山内閣で通商産業大臣を務め、1996年の村山退陣に伴い総理大臣に就任。

小泉純一郎
（政界引退）

自民党をぶっ壊さなかった！

2001年に総理大臣に就任、同年の参院選、2005年の衆員選では巧みな弁舌で小泉フィーバーを巻き起こし自民党を圧勝に導いた。

安倍晋三
（1954年～2022年）

令和改元時の首相

アベノミクスと称される経済対策で日本の景気回復に務めた。通算在職日数は3188日で歴代最長。2022年、銃撃され逝去。

写真提供・首相官邸

\ COLUMN /

野党結集の道筋はあるのか

YOSUKE YASUDA × RYOSUKE NISHIDA

「候補者の一本化」は現実に可能なのか

前掲のQVなどの投票の方法を使えば、もしかすると野党結集の原理が働くかもしれない、と感じた読者もおられるかもしれません。

野党が候補者を一本化すれば野党共闘とかいわれるからだと思いますが、ぼくたちの多くは、心のどこかに「候補者を一本化できれば二大政党になり得るような野党ができるのではないか」と思っているのではないでしょうか。

ただ、これは実際には難しいと考えています。なぜかというと、ゼロから候補者を選定するのであれば候補者調整は比較的容易ですが、現職がいるからです。さらに、野党Aに現職、野党Bに有力な人がいたりとかすると、候補者の一本化はそう簡単にはいかないはずです。

候補者の一本化はそんなに簡単なことではなく、候補者の一本化を進める何か合理的なやり方やインセンティブの設定があるかを考えたとき、よくいわれるのは野党相乗りでの予備選挙、国政選挙の前に野党統一候補を決める選挙を行なうという案です。

そこで野党候補者のなかで誰が人気かというのがわかるから、1番の人を立てようみたいなことですよね？

でも現職がいる場合において、その現職はおそらく制度の導入に反対します。特に野党A党に現職がいて、野党B党にまだ現職ではない人気の人がいる場合、自分が落ちてしまうかもしれないからです。

また、そもそも野党が取っている選挙区もあるわけです。そういうところは、予備選を導入するとかえって与党に奪い返される可能性もあります。だから、野党一本化のための予備選は少し無理があります。だとしたら、ほかにどんな可能性があるでしょうか。

野党再結集を経済学的に考える

前節の仮定の場合、問題はむしろ現状自民党が取っている選挙区だと思います。そこにどの野党候補者を一本化して出すかというところを調整すればいいわけですね。

「野党がそもそも取っている選挙区」は現職の人をそのまま候補として公認すればよくて、それ以外のところで調整する際に何らかの方法で序列をつけてあげると、野党候補が一本化できる可能性もなくはないと考えられます。

ただ一本化するということは、その選挙区から野党候補が1人しか立てなくなるということです。いま自民党議員が当選している選挙区にも、頑張って選挙活動をしている各野党の候補者が多くの場合で複数人いるはずです。それにもかかわらず1人しか立候補できないとなったら、残りの人は土俵に立つことすらできなくなります。それをどうやって、「今回あなたは身を引いてください」と言えるかを考える必要があります。

ここから先は理屈でデザインしてもうまくいかないかとも思いますが、やり方の1つとしては、選挙協力が長期間続くのであればローテーションにする方法はありそうです。

ある選挙区に候補となり得る人としてA、B、Cの3人がいたとします。

事前の予備選などなんらかの方法でAさんが一番勝てそうな見込みなので、Aさん立ってください。でも次回はAさんを一旦外してBさんが出馬しますというように、今回はAさんに譲るけれども将来は自分の番が来るみたいなことがあれば、多少譲る気にはなるかもしれないですね。

予備選をやって自分が1番ではないということは、野党のなかでも仮に3人揃って立ったら勝てる見込みは低いということです。プラス現職の自民党がいるので、そこに勝つというとさらに可能性は低くなるじゃないですか。ある意味、予備選をやってくれたおかげで自分に目がないことに早く気づけたということもいえそうです。あえてお金をかけて勝ち目がなさそうな選挙に出なくて済んだと解釈できるかもしれません。

いまはAさんが現職だけど次は他党のBさんに譲るといったらなかなか厳しいかもしれません。Aさん個人で見ればキャリア的にはしんどく、政治家を4年やって、その1期しかできないことになります。特に当選している人は次も勝てる可能性が高いとされるので、そこをすげ替えるのは非常にリスクでもあります。こういう課題にはどう対応できますか？

一本化して出たAさんが勝った場合にそのまま続けてもらって。負けた場合に次はBさんに立ってもらうという、負けた場合のローテーションだと現実的な気はします。

もう1つの方法は比例じゃないでしょうか。比例に回ってもらってそちらでという。比例の順位をある程度、いまは野党間での調整はできないルールですが、野党間で優遇するとかできるのであれば、可能性がありそうです。

いま言った事情で譲らざるを得なかった人は、比例名簿上で上のほうに入れるなどで調整をするというのはあり得ますよね。

でも、これはあくまで理屈の話で、うまく調整できるかどうかはわかりません。いずれにしても透明性の高いルールで候補者を調整しないと、候補から落とされた人は相当不満が残りますよね。

かつ、政党間でもやっぱり利害は完全に一致しているわけじゃないので、透明で納得感のあるルールに収束できるかどうかが重要なんじゃないでしょうか。

あと気になるのは、そもそも当の野党代議士の方たちに本気で政権を取る気があるのかというのは昔からいわれていましたが、実際どうなのでしょうか。

野党として文句を言うのは簡単じゃないですか。有力議員だったらそれなりの存在感を示せて、野党だけれども地元の選挙では強いから負けないみたいな人が大体各党の幹部クラスにいるわけですよね。なまじ政権を取ってしまうと、それこそかつての民主党政権のようにボロが出て批判されてしまう。

政権担当能力が低いことが見える化されてしまうかもしれないから、とりあえず外野からいろいろとクレームはつける。建設的なクレームもあるので、何も与党になることだけが日本の政治をよくするわけじゃないと思っている野党議員も結構いる気もします。

そうすると自民党批判とか、我々に政権を譲ってくれればというのはあくまでもそういうフリで、本心としてはいまの野党的なポジションが割と居心地がいいという人もいるかもしれないですよね。だとすると、野党間で選挙協力ができないのは、野党における有力議員からすれば狙い通りなのかもしれません。

政権交代の本気度は感じないですね。

民主党もそうだしその前の小沢さんたちの頃もそうですが、政権の中枢を担う人は元自民党だったりとか、自民党と関係があったりする人がやっぱり多いはずです。

つまり、政策担当能力を含めて、ある程度信頼できる人材供給源はやっぱり自民党なのではないでしょうか。でも、その供給源がいまなくなっているわけですよね？

そして腐りかけています。

かつて自民党のなかから外へ出て政治を変えようとした人たちと同じことを、国民民主や立憲民主プロパーの野党の人ができるかという話ですよね。

でも定期的に自民党から抜けて移っていく人が生まれていくような選挙制度のもとだと、気がつけば野党のなかに、元自民党でそれなりに政策担当能力がありそうな人が増えてきているかもしれません。

あとは、本当にゲームチェンジを起こすような有力議員が自民党の外にいると、野党になっているけども元自民党のような人とくっついて大きな動きを作れるかもしれません。

ただ、いまのところ、そういうゲームチェンジを起こせそうな議員の多くは自民党のなかにいるので難しいですよね。

ゲームチェンジャーになり得る政治家はいるのか

RYOSUKE NISHIDA

いまのお話を受けて思い出すのは前明石市長の泉房穂（いずみふさほ）氏です。先日、かなり長時間2人で議論させていただく機会がありました。泉氏はおもしろくて、「救民内閣構想」ということをおっしゃっています。

この構想については次の章に関連するので後述しますが、「この指とまれ方式」で集まってくる人たちを組織したいという狙いがあります。

つまり、どこの政党でもよく、自分たちが唱える「救民内閣構想」に合意できる人と手を結ぶんです。実際、このやり方で地方選挙ではいくつかの実績が出ています。自分の後継の明石市長選と市議選、それからさいたま市長選などが該当します。

実績が積み上がってくると、泉さんにあと押ししてもらえば選挙に勝てるんだということが浸透します。

そのことがもしかすると、バラバラとしていてまとまらない野党の結節点になり得るかもしれません。それがいいかどうかはさておくとして。

そういう人が既存の政党のなかから出てくるのではなく新勢力として現れる。そして**新勢力というのは国政の外からまた出てくるのかもしれません。**

そういう意味で1990年代の政治に、2000年代の政治みたいなものを足し合わせると考えればイメージしやすい気もします。

2000年代の政治とはなんだったかというと、要するに新しい民主党の時代です。

当時の民主党はどうだったかというと、浅野史郎（あさのしろう）宮城県知事とか北川正恭（きたがわまさやす）三重県知事とか、そういう革新首長たちを先鞭として、マニフェストなどを取り込みながら地方政治が先行した改革のアイデアを民主党が吸収して国政に出たわけです。

マニフェストは結局くだらなかったということになってしまいましたが、とにかく地方発の新しい取り組みを取り入れていたともいえます。こういった**「1990年代+2000年代的なもの」が、2020年代の新しい改革の機運にならないかと**、最近ぼんやり考えたりしています。

結局、答えは1つになっていく

YOSUKE YASUDA

ここまで、野党の選挙協力がうまくいっていない現状を踏まえつつ、どうすれば多少うまくいくんだろうかという思考実験をしてきました。

ただ、仮にめちゃくちゃうまくいった場合には、それはそれで問題かなという気もします。

どういうことかというと、たとえばある選挙区で自民党候補者が40%ぐらい票を得られる。残りは3つの野党候補がいて、20%ずつ得て計60%だとするじゃないですか。そこでパーフェクトに選挙協力ができて、野党の候補者を一本化してその候補者が勝ったとする。

そうすると、もともとの候補者の純粋な支持層でいうと自民党の候補が40%で残りの3人はそれぞれ20%です。その候補者自身の得票率は自民党の半分なのに協力によって勝ててしまう。

ある種、選挙における談合のようなことをして、ドーピングをしているということになってしまうんですね。

現実にそれは難しいので、ここまで絵に描いた餅のような状況にはならないでしょうが、仮に野党協力がうまくいくと、いま説明したようなことが起きます。

自民党候補者よりも個人で見ればシェアが低いんだけれども相乗りによって当選する野党議員がたくさん出てきて議席の過半数を超えたりすると、自民党支持層からすれば「ちょっと待て」という話にはなるかもしれません。

なので、ある種の談合みたいなものにまで行き着いてしまうと野党の選挙協力というのは問題視されるかもしれない。現状はそこまでうまくいってないので、うまくいけば……という話で止まっていますけれども、本当にハマって政権交代が起きた瞬間に自民党側からは相当な不満の声が出るでしょうし、その不満には一定の合理性があります。

だとするとあまりおもしろくはない、というよりも普通ですが、政党として強くなることしかないのかもしれません。やっぱり政党が政策を磨きながら強くなって、国民から支持を受ける。結局、それに尽きますかね。

第2会議

日本の「政治」大丈夫なんですか？を考える

第2部

投票とコストのインセンティブ

「1票の価値」を経済学で考える

YOSUKE
YASUDA

経済学的な投票分析でいうと、**そもそも人々がなぜ投票に行くのか自体が結構大きいイシュー（問題・課題）**です。

前節の西田さんの疑問のように、衆議院議員選挙などをイメージすると、自分が誰に投票しようが同数や1票差でない限り、結果は変わりません。

自分以外の人たちの投票行動は変えられません。自分が投票して誰かしらに1票を入れて投票結果、選挙結果に影響を与えるとすれば、ちょうど第1候補と第2候補が同じ票数で自分の1票で勝者が決まるとか、あるいは1票差で自分が少ないほうに入れれば同点になって結果がもつれ込むという形でない限り、1票の価値は基本ゼロです。

とはいえ、非常に小さい確率ですが、まさに50：50の状況に直面するかもしれません。**最終的な自分の1票が結果を左右することをピボタルといいます。**

しかし、**大抵の場合、その人が結果を左右するピボタル・ボーター（pivotal voter）になる確率もほぼゼロです。**

そうすると、仮に自分がピボタルだったとして、Aさんを当選させるか、Bさんを当選させるかが大して大きくない問題だとすると、本人にとって、投票結果を通じて得られる価値もほぼゼロです。

一方で投票に行くのには時間もかかり、いろいろな手間暇やコストがかかります。

それゆえ、「リターンはほぼゼロにもかかわらず、なぜ人々は投票に行くのか」は、政治学や経済学で古くから議論されていることなのです。

おそらく「投票は市民として行くものだ」「義務ではなくとも投票行動をするべきですよ」と言われていると行かないことに罪悪感があったり、あるいは、必ずしも自分の推している候補を勝たせるためではなくても1票を入れること自体に自分の気持ちのなかでプラスがあったり。そういう動機があるのかもしれません。

いずれにしても、結果から生じる利己的、個人的なリターンをもとに投票行動を分析しようとするのは、やはり無理があります。

投票に金銭的なインセンティブは有効か？

一方で、よくいわれるのは経済的なインセンティブをつければ投票率を上げられるのではないかということです。投票に行けばいくらもらえる、逆に行かないといくら罰金というような形で、投票を促すアプローチがあるのではないかということは考えられます。

ただ、少し気をつけなければいけないのは、それによって投票に行く人もいるかもしれないですが、むしろ投票に行かなくなる人もいるかもしれないという点です。

経済的な動機とは全然関係なく、投票は市民としての義務や美徳であるとか、我々は投票できる権利を長い歴史で勝ち取ったんだから行くべきだと思っている人からすれば、お金をもらえるから投票に行くわけではないでしょう。むしろ、お金をもらうことに抵抗を感じるかもしれません。

同じく、投票しない罰金が10ドルだとしたら、「10ドル払えば投票に行かなくていいなら行かない」と言い出す人も出てくるかもしれません。

また、逆に「10ドルもらえるからいままでは投票しなかったけど投票します」と言う人が、果たして我々が本当に投票してほしい有権者なのか、ということも考えなければなりません。お金につられて投票するような人は、もともと政治への参加意識が低い人です。

そういう人たちを投票させて、もともとお金など関係なくきちんと投票所に来てくれた人を締め出すようなリスクのある施策をすべきかといったら、やめたほうがいいでしょう。ですから**投票行動にインセンティブをつけるといった形での選挙への介入はあまりよろしくないといえます。**

投票にインセンティブをつけるのはすごく流行っています。たとえば、投票の半券を見せると商店街でラーメンにトッピングをのせられるとか。

映画館のチケットみたいですね（笑）。

経済的なインセンティブを入れて失敗した有名な例としては、選挙ではないですが、イスラエルの保育園の事例※（論文）が有名です。

その保育園には、一応決められた時間にお子さんを迎えに来てくださいというルールがあるんですよ。夕方5時までには迎えに来てくださいというようなルールです。

ただ、迎えに来ない親御さんがいるわけです。そこで保育園が何を考えたかというと、

※ Gneezy, U., & Rustichini, A. (2000). A Fine is a Price. The Journal of Legal Studies, 29(1), 1-17.
https://www.journals.uchicago.edu/doi/abs/10.1086/468061

少し遅れて来る人には一定の罰金を科しますと。10分以上遅れたらいくらのような形で罰金を科すことにして。さて何が起きたでしょうか。

実は、決まった時間までにお迎えに来る親御さんが減ったんです。

なぜかというと、いままでは遅れることに対して罪悪感があったわけです。だから、よほどの事情がない限り時間内に行こうと思っていた親御さんが多数だったのに対して、罰金制が導入されると「お金を払えば遅れてもいいんだ」と感じるようになってしまった。**経済的なインセンティブをつけたがゆえに、いままで働いていた道徳心みたいなもの、経済インセンティブとは違う動機が一気に失われた**ということです。

よくいわれるのが、**金銭面での過剰なインセンティブづけは内発的動機をそぐ**ということです。

だから、我々の研究活動も、「論文1本出したらいくら」みたいなことはしないほうがいい。それは、お金をもらえば嬉しいですよ、嬉しいですけど、パフォーマンスをすべて数値換算、金銭換算して、それが目的のようになってしまうと研究のあり方も変わってしまうだろうなと予想がつきます。研究がおもしろいから、自由な時間とある程度暮らしていけるだけの生活環境を保障してくれれば努力するのであって、そこから先はほっといてくれみたいなところがありますよね。

それと似たようなことが、少なくともイスラエルの保育園の社会実験で起きたというわけです。ちょっと引用されすぎているのは逆に怖いぐらいなんですけど（笑）。

でも、いかにも起こりそうじゃないですか。

中途半端な金銭インセンティブを入れるくらいなら入れないほうがいいんです。

もちろん、迎えに来る時間が10分遅いと罰金100万円みたいなことならみんな時間内に来ます。でも、それは実際にはできないですよね。だから、中途半端な「投票に行くと500円のクーポン券」のようなこと、西田さんがおっしゃった「投票したらラーメンのトッピング」みたいなことはやらないほうがいいかもしれないと思います。

経済的なインセンティブに代わるもの

RYOSUKE
NISHIDA

ぼくも、経済的なインセンティブを投票の動機づけにすることには違和感があります。

第一に、ものを考えない人を増やすでしょう。

現状、投票に行っている人はなんらかの動機があるのか市民的な美徳なのか、利益代表的理由なのかはわかりませんが、「行くべきだから行く」という人たちが行って投票し、結果を決めています。

それはそれで確かに偏りがあります。しかし、経済的なインセンティブを付与して投票を促したところでそれだけだとすれば、あまり考えていない人が投票に行って適当に決まるということです。それで投票率が上がったところで意味がありません。「投票率は高いが、（罰則等が理由で）特に考えずに投票に行く人が多い」状態が現状と比べて、それほどよい状態だとはいえないでしょう。

衆議院議員総選挙における年代別投票率（抽出）の推移

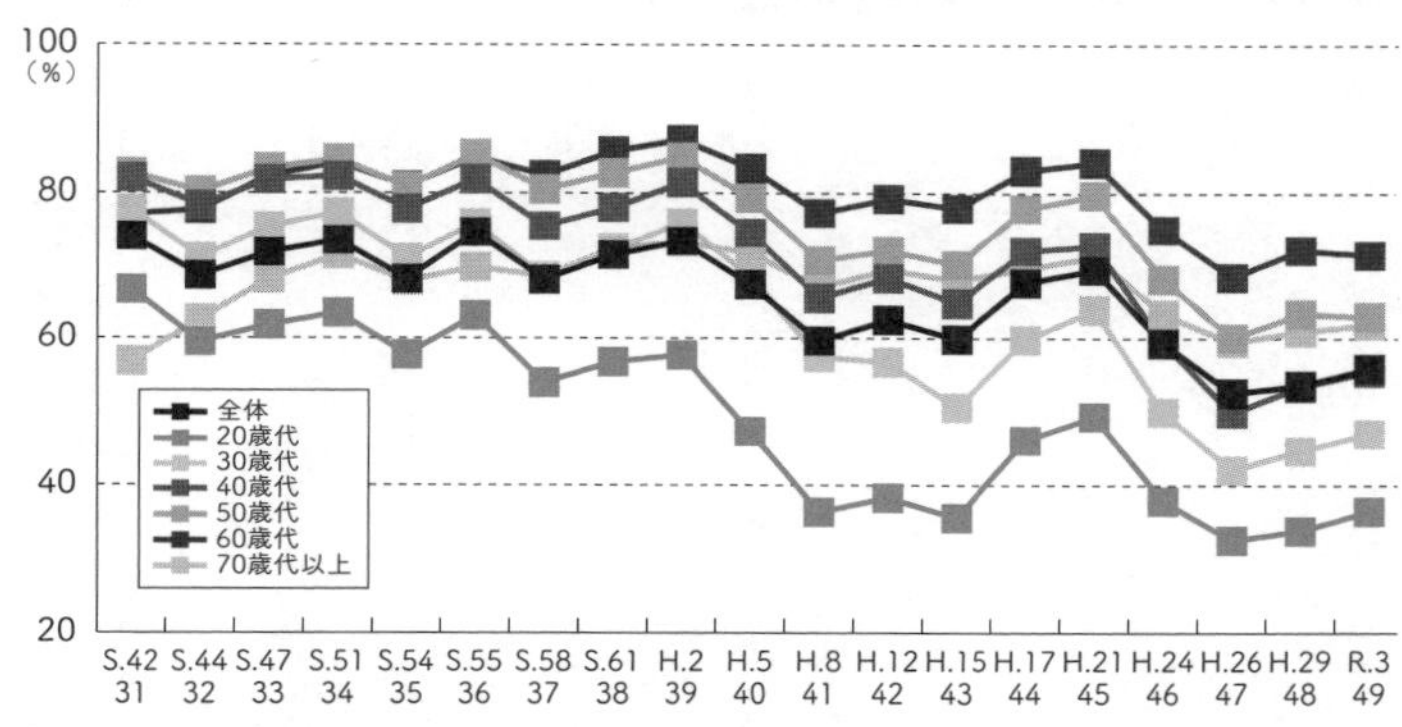

「選挙関連資料」（総務省）より作成
https://www.soumu.go.jp/senkyo/senkyo_s/news/sonota/nendaibetu/

最終的には選挙制度のあり方はそれぞれの社会ごとの政治的価値の問題なのです。そのことが我々の社会ではすっかり忘れられています。

ただし、やはり投票率の低さは気になるところです。特に補選や参院選などですが、国政選挙で50％を割っているとかなり気になります。しかも、低投票率が常態化しつつあります。特に若い世代で常態化しているのは見過ごせません。

たとえば１９７０年代と比べると、20代の投票率は半分ぐらいになっています。昔は低くても60％ぐらいでした。いまはずっと低くて30％ぐらいです。半分です。

我々の社会では同調圧力が働くので、みん

なやっていないんだったらやらなくていいよねということになりかねません。「赤信号、みんなで渡れば怖くない」では困ります。

そもそも、選挙制度は権利的性質が強い選挙制度と義務的性質が強い選挙制度の2つあって、日本は権利的性質が強い制度です。行かなくても罰則はありません。**行かなくても罰則はないけれども、選挙制度がなぜあるのか？　というと、投票に行くという原則のもと、投票に行かない場合にも寛容な仕組み**のはずなんです。しかし、現代の日本では投票に行かない人が大多数、地方選挙だと圧倒的大多数になりつつあります。投票率が2割とか3割になってしまっているときもあります。少しテコ入れしないと政治的な不信感も募りますし、選ばれている議員が自分たちの代表だという感覚を持ちにくくなります。そこへの介入はさすがに必要だろうと考えています。

でも、前述の安田さんのお話では、それは経済的インセンティブをつけるということではないということですよね。

新しいタイプの投票ルールに切り替えるなどのほうが効果がありそうですね。

＼ COLUMN ／

まったく有効でない「白票」を人はなぜ投じるのか

YOSUKE YASUDA

ぼくは「白票は無意味だ」ということを著作をはじめ、さまざまなところで説明しています。現行のルールの上では「白票」は実効的に「意思を示した」ことにはなりません。それなのに白票を投じる人は後を絶ちません。選挙シーズンには、SNSなどでも白票をすすめるアカウントがあったりします。ぶっちゃけ、なぜだと思いますか？

投票に関しては、なぜ人々が白票を投じるのかも大きな謎で研究も盛んです。そもそも投票になぜ行くかについて、「少し狭い意味での合理性から」だけだとは説明し

がたいですよね。選挙結果が自分の1票によって変わることはほぼないわけですから。

コストだけがかかって投票に行かなくてもいいのにもかかわらず行くと。

その「にもかかわらず行く」ところまではよしとしても、せっかく行ったのになぜ白票を投じるのかは、別途考えなければいけない問題です。

実際、白票を投じる人はそれなりの割合でいます。理由の1つは、自分にとって選べるような候補者がいなかったということを訴えるためでしょう。白票を投じたところで結果は変わらないのですが、民意の1つの表れとして出したい人がいるかもしれません。

それとは違う、「結果を左右する」ことを考えつつも、あえて白票を入れる人の気持ちはどういうモデルで、どういうロジックで説明できるかという、割と有力な論文※があります。

この論文では、「結果を左右することを考えつつもあえて白票を入れる人たち」について、次のように結論を出しています。

そもそも、候補者であったり政策を決める場合に、個々の候補者や政策にくわしくない有権者もいるわけです。候補者が3人いて、誰がいいかよくわからないとします。

でも、やっぱり市民として投票するべきだし投票しに来ましたと。

でも本来望ましくない候補者に対し、自分が1票を投じたら、悪い結果に加担してしまうかもしれません。自分としては投票所に来たことで市民としての義務は一応果たしてい

※ Feddersen, T. J., & Pesendorfer, W. (1996). The Swing Voter's Curse. The American Economic Review, 408-424.
https://www.jstor.org/stable/2118204

る。なので、**あとは自分よりもより賢い人や、今回の選挙についてくわしく調べている人に結果を委ねたいという形で白票を投じる。**

それによって、ほかの人たちの投票を邪魔せずに、最終的に自分にとっても望ましい候補者をより賢明な市民の人たちに選んでもらう形で、あえて戦略的にほかの投票者たちに権限を委譲するというのが、白票を投ずる動機の1つかもしれないと結論づけているんです。

せっかく投票所に行ったのだから、とりあえず投票用紙に何か書いたほうがいいように思いますよね。書かないのはもったいないように感じます。

でも見当はずれの人に投票してしまったら、それはそれで、後悔するかもしれない。なので、あまり選挙についてくわしくない有権者の場合は、行った先で白票を投じるのはあながち間違ってはいないかもしれません。だったら最初から投票所に行かなければいいじゃん、とツッコみたくもなりますが、やはりそこはせっかくの権利なので行使しないともったいない、あるいは市民の義務感として行かないと良心が痛むような人も多いのだと思います。少なくとも、そういった動機もあり得るんじゃないか、という研究です。

なるほど、動機としてはわからなくもないですが、投票という意味では、せっかく投票所に行ったのだから有効な投票をしてほしいものです。

\ COLUMN /

さまざまな投票の可能性

YOSUKE YASUDA × RYOSUKE NISHIDA

オンライン投票は投票率低下を食い止めるか

投票行動、投票率の低下について考えるといったときに、「オンライン投票を解禁すればいい」という議論になりがちです。ＩＴにくわしいという与野党の議員の人たちも、マイナンバーカードを使えばオンライン投票は全然大丈夫だといいます。

しかし、ぼくはリスクがいろいろな形で存在すると考えます。

選挙管理、選挙ガバナンスという分野があって、日本の選挙ガバナンスはかなり厳格だと考えられています。投票所の管理などもそうですし、次の選挙まで紙の票を残しておくとかもそうです。厳封して保管しておいて、もし不正があったら箱を出してきてもう1回見るわけですね。実際、筆跡が同じような投票用紙がたくさんあって投票不正が露呈したことがありました。それができるのも厳封して紙で残しておいて、不正利用の際にはもう1度開くからです。

選挙ガバナンスという点では、海外は案外雑です。投票に立会人を立てたりする国ばかりではないのです。「日本式選挙」はとても日本的というか、きめ細やかで、厳しく運用されています。これはそれほど当たり前のことではないのです。

ですから**選挙ガバナンスを一定の基準に保ったままオンライン投票ができるかというと、とても難しいし、極めてコスト高だと考えます。**

なぜかといえば、1つ目は選挙ガバナンスを維持するコストが上乗せでいま以上にかかるからです。

たとえばオンライン投票できる人を投票日に宗教団体が1カ所に集めるとします。新興宗教の人が見ていて、「さあ投票してください」となると、選挙の秘密投票の原則を守れません。これは杞憂かというとおそらくそんなことはなく、日本には宗教団体など、利益団体がたくさんあります。あり得そうじゃないですか？

高齢者も同じです。病院などで認知能力が衰えた高齢者の方に対して、「おじいちゃんおばあちゃん、ボタンを押してあげますから」といったことも簡単にできてしまいます。随所でこういう選挙不正が起こる可能性があるときに、マイナンバーカードでは人間が介在する不正は防げません。

ですから、**オンライン投票で従来の選挙ガバナンスの厳格さを維持するのは極めてコスト高だと考えられそうです。**

2つ目は、**開票のコストです。**

オンライン投票を現行の仕組みで導入する場合、普通に考えればおそらく紙の投票はなくせません。突然保険証をなくしてマイナ保険証にする国ですから、いきなり紙の投票を取りやめてすべて電子投票にする可能性はゼロとはいえませんが、いちじるしく低い。そうすると、多分、投票の種類が4種類になるわけですね。期日前投票と当日投票があって、投票用紙とオンライン。2通り×2通りで4通りになります。

投票結果を出すためには、これらを突合しなければなりません。そうすると、いまのように投開票から数時間とか、翌日までに投票結果を出すのは難しくなるはずです。二重投票や不正を弾く必要もあります。4通りの投票がきちんと統合的かつ横断的に運用されなければなりません。かなり大変そうです。

3つ目は**運営コスト**の問題です。いま、投票所などのコストは選挙管理委員会がすごく分散化していて負担しています。要するに都道府県が負担しているんですね。

では、オンライン投票のシステムは誰がコストを負担して設置するのか。

たとえば各都道府県がこうした仕組みをばらばらに用意するとは考えにくい。だから国が行なうと考えるほかありません。そもそもシステムを整備するのに、ものすごいコストがかかります。第一、システムダウンしてはいけないわけです。だけど最近の日本のシステムはすぐダウンします。新型コロナの特定定額給付金のシステムもろくに使えませんでした。マイナンバーのシステムがほかの人の番号を出すとか、こういうことは、いまの基準における電子投票システムでは決して起きてはいけないわけです。

それに投票日に多分アクセスが集中します。それでもダウンしてはいけません。

そんなシステムを作れるのかということです。

都道府県からすれば、ただでさえ財政難なのに、こんなシステムはとても作れないから国がやってくださいということになるでしょう。実現できそうでしょうかね。

「マイナンバーカードがあればできる」ということをDX推進派の国会議員やネット選挙

にくわしいと名乗る人もかなり簡単に言いますが、ぼくは懐疑的です。

また、頑張ってこのシステムを仮に導入したとしてランニングのコストもかかります。これらを総合的に見て、いま選挙管理にかかっているコストを引き下げられるでしょうか。多分ムリで、経済的にはあまりメリットがなさそうです。

これらを踏まえると、**オンライン投票は実現が難しそうであることにくわえて、あまり実質がなく、アナログで残しておくのも致し方ない**のではないでしょうか。

もう1つは、逆に**いまの選挙ガバナンスの規範をゆるめる**という考え方はあり得るかもしれません。こんなに厳格な選挙管理は必要ないということであれば、オンライン投票もあり得るかもしれません。不正を防ぐために投票立会人がいて、開票時には開票立会人がいます。それを別にいなくてもいいよと考えるのであれば可能です。

それから前述した、分散して生じうるような投票不正、宗教団体が人を集めて投票させるようなものについてリスクを無視するのであれば、オンライン投票を受け入れられるでしょう。とはいえ、前述の理由からあんまりよさそうな感じはしません。

ちなみに、日本で選挙制度の改革は基本的に政党で議論して決めます。政党の合意で決めていくことで、政治マターだと考えられています。

ですから、選挙を所掌する総務省は選挙制度の改革について積極的には提案しません。電子投票も含めて規制改革の文脈でときどき議論が出てきていますが、総務省では近年議論していないので、実務的な検討はほとんどされてないのが現状です。

また、先進国でオンライン投票を導入した国もほとんどありません。そんななかエストニアは電子投票を行なっていますが、それでも期日前投票だけです。ほかにもブラジルなどの地方選挙で行なわれているものの、アメリカや欧州の国政選挙での実施例はほとんどありません。

日本ではオンライン投票のはるか手前で、機械式投票が検討されたことはあります。法律上は、地方選挙に限って、ボタン式の投票機の導入が2000年代にできるようになっています。制度上はいまもできます。

でも、ほとんどの方は見たことないはずです。なぜ広まらないかというと、2003年に岐阜県可児市の市議選で機械式投票機を導入しましたが、当日機械が不具合を起こしました。

その結果どうなったかというと、最高裁まで行って選挙無効になりました。投票機が不具合で選挙無効。そんなリスキーなことをやりたくないということになって、制度としてはいまもできるのですが、導入する自治体はその後ほとんど出ませんでした。

しかも、機械式投票機は当然ですが、いろいろなスペックが決まってるわけです。これを作っていた唯一の会社が生産を終了してしまって、いまは機械式投票マシンを製造する業者が日本に存在しないので、事実上、機械式投票はできないという少しおもしろい話があります。

ここまでのお話を踏まえると、投票所はある意味安心して投票できる環境を作っているわけですね。いまの選挙の仕組みを我々は当たり前だと思っているから特殊な感じはしないですが、実は結構スゴいことということですね。

マジョリティ・ジャッジメントで投票行動を変えられるか

オンライン投票の議論に関連して、前述のクアドラティック・ボーティングと共に注目されている「マジョリティ・ジャッジメント」という手法について紹介します。

マジョリティ・ジャッジメントは、候補者が何名かいた場合に、それぞれの候補者に対して「この人をどれくらい評価するか」を4段階や6段階で投票させるやり方です。

その各段階は、「すばらしい」から、「まあまあいい」「いまいち」など、選択肢自体が意味のある自然言語で表現されています。点数ではなく自然言語で評価をして、それぞれの候補者に一応投票できる形にするのですが、全員に投票しなくてもいいんです。

普通の選挙の場合、立候補者を並べて1番にだけ投票する単純多数決です。もう少し複雑なボルダールールとかだと、1番に3点、2番に2点、3番に1点といった形で、候補者全員に対し順位ごとに配点しその点数を集計して誰がいいかを選びます。

ところがマジョリティ・ジャッジメントは、この人がありかなしかや、この人が4段階でどれぐらいいかというのを見ていくのですが、全員を評価する必要はなく、「ぶっちゃけ、この立候補者よくわかんない」となったら投票しなくてもいいというような仕組みです。

では、最終的に誰を選ぶかというと、それぞれの候補者に入った票の中央値を見ます。

4段階や6段階で、上から半分、下から半分の人がどの評価に投票をしたかを見るのです。4段階しかないと中央値自体は複数の候補者で同じになってしまう可能性がありますが、その場合は中央値より上の人と下の人のどちらが多いかなどを見て、うまく勝敗がつ

マジョリティ・ジャッジメント

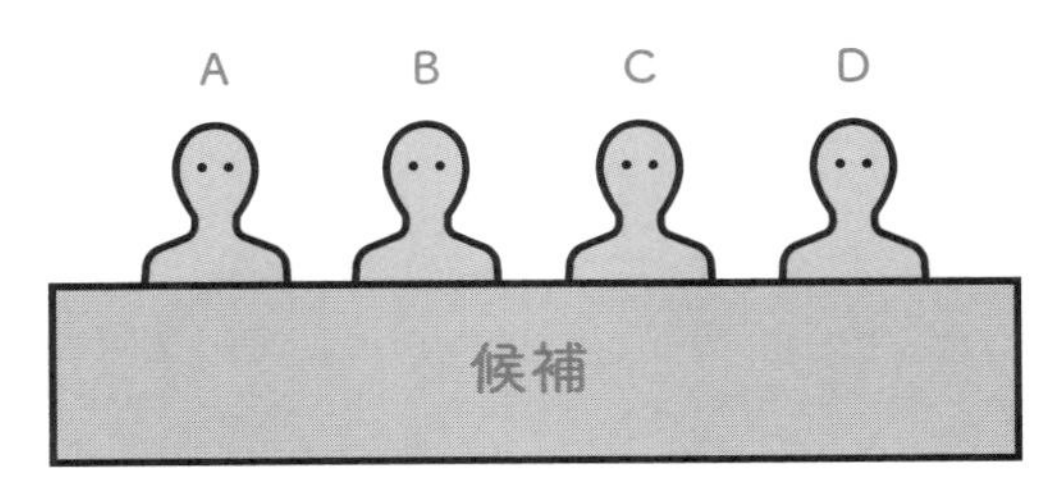

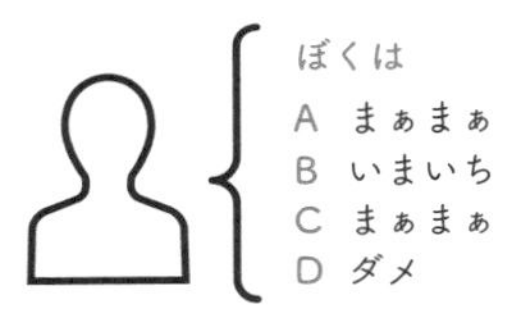

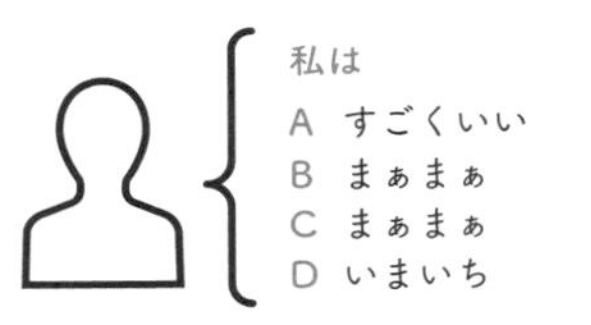

くようになっています。

つまり、基本的には自分が気になる候補者に対して絶対評価をつけてもらい、そうして集まってきた票を基にランキングを決めていくという斬新なやり方です。

これも小選挙区で使うのはあんまりいいと思いませんが、現実に使われているおもしろい事例としてはパリ市で、予算のうち1割ぐらい、補正予算のようなものを何に使うかを決める際にマジョリティ・ジャッジメントを使っています。

たとえば公園の補修に使ってほしいとか、図書館を直してほしいとか、ローカルなプロジェクトがたくさんあるわけです。そのプロジェクトに対して、パリの市民にマジョリティ・ジャッジメントしてもらうんです。

当然、まったく知らなかったり、自分の住んでいる場所と関係なかったりするプロジェクトに人々は投票しないので、中央値で比較してより評価の高いプロジェクトを予算があり続ける限り上から順番に選んでいくというやり方をとっています。

ちなみに、**なぜ中央値になっているかというと、中央値は戦略的に操作しにくいということが知られているからです。**

たとえば自分が激推ししたいプロジェクトがあったときに、ほかのプロジェクトの評価を下げるため、対立プロジェクトにあえて最低評価をつけたくなるかもしれません。実際に、中央値ではなく平均値などで順位を決める場合には、この戦略的な投票は効果的です。しかし、そういうことをしても結局、中央値は変わりません。なので、正直に自分の評価を下せばそれでOKだし、複数のものに対して評価も下せるし、関心がないとか全然情報がないものに対しては評価を下さなくてもいいんです。

だからひょっとすると、地方議会の選挙などには向いているかもしれません。

なぜかというと、我々は地方議員をほとんど知らないからです。

若くて頑張っている人に入れたくなるとか、自分と同じ出身校とか、少し心に残る候補者が何人かはいるかもしれませんが、ほかは全然わからない場合が多いでしょう。

それなのに、いまの選挙は何十人も立候補者がいて、当選者数も2桁くらいいるような自治体でも1人にしか投票できません。単純多数決になっています。

そこにマジョリティ・ジャッジメントみたいなものを入れると、自分が気になる候補者を複数選んで評価できます。最終的には中央値で決まるので、ある意味で平均的な市民から高い評価を得た人が選ばれることになるので、質も保証されます。単なる知名度や組織票では当選が決まらなくなります。地方議会とかでやってもいいのではないかなという気はします。

ちなみに、人によって呼び方は少し違ったりしますが、これも前述の**社会選択理論**（ソーシャルチョイスセオリー）と呼ばれるものです。

選挙の集合知を政治に反映する

第2会議では、裏金事件をきっかけに政治の課題に「金」と「票」があることについて、多方面から考えてきました。

そろそろまとめとしたいところですが、ひと頃少し流行った「みんなの意見は大体正しい」的な話をしたいと思います。

同じテーマで何冊かベストセラーになった本があるのですが、要約すると、「いろいろな意見をうまく集約すると、平均的な素人集団の見立てや予想が玄人の予想をしのぐことが珍しくない」という事例や理屈が紹介されています。

ぼくが読んだ『「みんなの意見」は案外正しい』(角川文庫、ジェームズ・スロウィッキー著)という本の冒頭に出てきたのが、牛の重さを当てるという問題でした。

目の前に牛が出てきて体重が何キロぐらいかを予想するのです。

集合知

もちろん、牛を評価して何十年みたいな玄人も予想しますが、素人が何十人とかいてバーッと予想を書いてその平均値をとるとほぼ誤差がないという、少し印象的なエピソードが紹介されていました。

要は、実際の重量よりも重く見積もる人もいれば軽く見積もる人もいるのですが、正しい重さからの上振れ下振れがシステマティックに歪んでいない限り、平均は真の重さに非常に近づくんじゃないかということが、いろいろな事例で出てきます。

この「みんなの意見は大体正しい」は、集合知と呼ばれるものです。昨今聞かなくなった言葉ですが、選挙などは一番わかりやすい集合知ですよね。

ただ、集合知が逆に失敗する事例もあります。ちなみに失敗の最たるものは、周りと同じような意見を出してしまう関係性です。**独立性が担保されないと集合知が働かないということですね。**西田さんが指摘された、オンライン投票の危険性を連想させます。

現行の選挙のように1人1票をプライバシーが保障された場所で投票する。誰に投票したかは自分しか知らない、という状況であれば独立性は担保されます。

しかし、オンライン投票で同じ場所から複数人が投票する。誰かの指示によって同じ人に投票するとなると、独立性は担保できていません。そうなると、出てきた結果が本当に集合知を活用した結果なのか、特定の団体がドカンと組織票を入れているからだけなのかというところがわかりません。なので、**できるだけ独立性を保つことは、投票に限らず集合知を活用しようと思ったら絶対条件です。**

その意味で、オンライン投票のような方法だと独立性を担保するのは難しくなると考える方もいるでしょう。だからこそオンライン投票の議論は進んでいないのかもしれません。

とはいえ、現状は投票率があまり高くありません。もしオンライン投票を入れれば投票率は上がるはずです。独立性を大事にして集合知を重視するのか、投票率を上げるために独立性についていては一旦脇に置くのか。この2つのトレードオフだということです。

憲法学の学説で、投票所に足を運ぶこととは、公務に参加するときの敷居だ、というものがあります。つまり、そこにコストを生じさせることで、公務に参加している実感を与える意味において必要だという考え方です。

そうであるなら、なおさら投票のコストは下げないほうがいいかもしれません。ぼくも基本的には、投票所に行けるんだったら時間コストと移動コストを払ってでも自分で行ってほしいと考えています。ただ、これからどんどん移動が困難になる人が増えるなかで、彼らを切り捨てるのかという話にもなってくるはずです。それを解決するベストな方法がオンライン投票なのかはわからないですが、移動投票所のようなものを入れていく必要はあるでしょう。

投票所の数と投票率は相関していることが知られています。市町村合併などで投票所が減ると、投票率が下がりがちです。単純に投票率の問題だというなら、オンライン投票の解禁が選択肢になってくるのかもしれませんがそれほど簡単ではないのです。

After discussion 02

「ダメな政治」をどう見るか

西田亮介

政治は妥協の産物で、現代のビジネスパーソンがもっとも嫌う対象の1つのような気がしています。合理的で、国民益に叶う解があれやこれや理屈をつけながら遅々として認められず、高齢者や特定のどこかの誰かだけが恩恵に預かるような政策がまかり通っていて、日本が停滞する原因は政治にあるのではないか。もっとスピーディに、リーダーシップを発揮して、コスパよく大胆な選択をしてほしい……。若手中堅のビジネスパーソン向けの研修や講演などの機会にビジネスパーソンや学生と話すと、そのような声をよく耳にします。

社会学では、しばしば自分と異なる価値観を持った他者の価値基準やその尺度（「他者の合理性」といいます。あとでまた出てきます）を理解しようと観察します。

こうした観点でいえば、政治の論理はいくつかの知識と補助線があれば十分に理解できるはずです。驚くべき「合理性」がそこには潜んでいます。

政治家が選挙制度改革に一向に関心を持たないのは、投票環境が変化し自分たちに不利益をもたらす可能性のある「改革」はお断りだから。候補者を一本化して、組織が協力し野党票を足し合わせれば自民党候補に勝てるかもしれないけれど、過去の経緯やどうしても受け入れられない主張があるからやっぱりあの党とは組みたくない……政治の世界はこんな人間的な、そして「合理的」な話題に事欠きません。

いま、話題の政治とカネもそう。

第2会議で言及したロッキード事件や東京佐川急便事件など30年ほど前にも（それ以前にも）政治とカネの事件が繰り返し起き、国民にも反自民党感情が沸き立ち、それを察した自民党の改革派が党を飛び出し、新党を作ったりしたのです（いまは、「改革派」が居座り、かといって疑惑の議員らを除名するわけでもなくどうも迫力がありません）。

すったもんだの末、政治改革の道筋がつけられ、1955年から続いた自民党政権は幕をおろします。引き金は政治とカネでした。

こうしてみると、日本政治は数十年ごとに同じようなことを繰り返していることがわかります。この章（第2会議）でも議論したように、今度こそ制度による透明化を具体化し、法令遵守のインセンティブを実装できるか、注目していきたいところです。

第3会議

日本の「教育」大丈夫なんですか？を考える

下がる日本の知的生産のクオリティ

RYOSUKE
NISHIDA

ここまで、ぼくは、労働生産性や政治を取り巻く状況について一貫して「日本は本当に大丈夫なのか」というスタンスで安田さんに問いを投げかけてきました。**随所で「日本の社会が壊れかけている」という危機感を覚えているからです。**「日本は大丈夫か」ともっとも強く感じる分野の1つが、ぼくも深く関わってきた教育です。「日本の教育は大丈夫か？」と言った場合に、わかりやすく危機感を覚えるのは、知的なものが尊重されず、それらを磨く規範が弱まり、各種ランキングも低下を続ける日本の現状です。

定期的に「世界大学ランキング」で日本の大学のランクイン数がベスト10圏外になってしまったとか、東京大学でさえも40位前後ということが話題になります。ぼくの出身の慶應義塾大学もTimes Higher Educationのアジアランキングで300位くらい。世界ではなく、アジアで、です。大学院の規模が小さく大学院生が少ない私学は全般的にランキング

世界大学ランキングにランクインした大学数（2023年）

	国／地域	100位以内	101～300位
1	アメリカ	34	34
2	イギリス	10	28
3	ドイツ	9	23
4	中国	7	6
5	オランダ	7	6
6	オーストラリア	7	14
7	香港	5	0
8	カナダ	4	9
9	スイス	4	3
10	フランス	4	2
11	韓国	3	6
12	シンガポール	2	2
13	日本	2	2
14	ベルギー	1	4

東京大学（39位）
京都大学（68位）
東北大学、大阪大学（201～250位）

「World University Rankings 2023」より作成
https://www.timeshighereducation.com/world-university-rankings/2023/world-ranking

が低いのみならず、少子化の時代に海外からも学生を集める必然性が高くなっている現状を鑑みると、この沈没具合は心配です。

日本の学部学士の取得者は人口当たりでベンチマークとしている欧米の大学とそんなに変わりません。OECDの平均をやや下回る程度です。

しかし、修士や博士になると、人口当たりの取得者がガクッと減ります。中国の都市部とあまり変わらないくらいになります。中国の都市部とあまり変わらない率ということは、中国は人口が日本の10倍なので、毎年輩出している修士の数でいうと負けています。トップの伸び悩みと、同時に裾野が広がっていない可能性を推論することができます。

博士の単位人口当たりの取得者数は中国より日本のほうが若干上回っているのですが、それでも欧州やアメリカ、いわゆる先進国のベンチマークと比較すると格段に低いのです。

このことが示唆するのは、**日本では特に高度人材とみなされている人たちの知的生産のクオリティが低いのではないか**という疑問です。

第1会議で安田さんが、日本の労働生産性の低さの原因に「人と組織」を挙げていました。たとえば日本のビジネスパーソンは何かを主張する際にも、あまりデータを用意しません。「私はこう思う」しかない場合が非常に多くてうんざりです。**「私はこう思う」「これをやりたい」。そこにリーズニングとかエビデンスはないわけです。**あるいは都合のよいデータのつまみ食い。

人によりますけどね（笑）。日本のビジネスパーソンが全員、リーズニングとかエビデンス思考がゼロなわけじゃない。ただ、そういったスキルを磨く時間や機会が海外のビジネスパーソンに比べて乏しいですよね。

もちろん、少し誇張気味に表現しています（笑）。そのほうが論点が先鋭化したり、読者の皆さんに自分事として憤っていただけるのではないかと思いまして。

日本のビジネスセクターはバブル崩壊を機にいち早く世界との競争に負け、いまも負け続けているのに、政治や教育などほかのセクターに責任転嫁してばかり。でも、何も変えないまま。変わらないまま。モノを考える力が根本的に欠落しています。

日本の経済界が世界的に負けた理由について、ぼくは直接にはビジネスセクターが弱かったと考えます。教育のせいだとか政治のせいだとか税金が高いとかいいますが、それでもやっぱり現場で人がいるわけですから、組織と人が弱かったと考えるべきです。

また知的生産性の低さと、修士・博士の取得者数の少なさは無関係だとも思えません。本会議では日本の知的生産性の低さについて、いくつかの角度から探っていきましょう。

ゆるくなる大学受験と加熱する中学受験

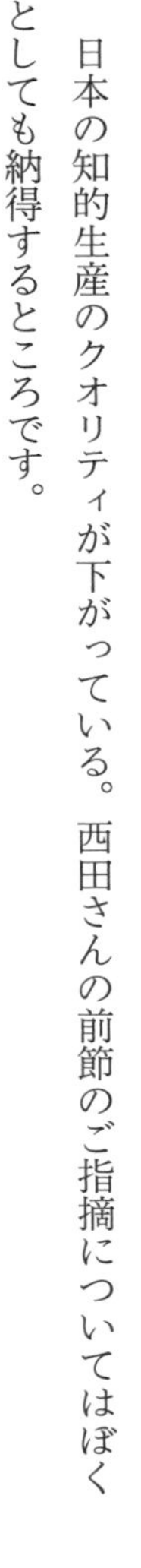

YOSUKE
YASUDA

日本の知的生産のクオリティが下がっている。西田さんの前節のご指摘についてはぼくとしても納得するところです。

ただ、国際的な学力テストＰＩＳＡ（Programme for International Student Assessment、正式名「ＯＥＣＤ生徒の学習到達度調査」）などでは、ときどき順位が下がったりはするものの、圧倒的に日本の点数は高いという事実は見過ごせません。**日本の読み書きそろばん能力はすごく高い。これは事実で、圧倒的な日本の強みだとぼくは思っています。**

その背景には、おそらく大学に入るための高校時代の受験勉強があります。

ペーパーテスト中心の入試制度に賛否両論はあるものの、受験があるからこそ必死に勉

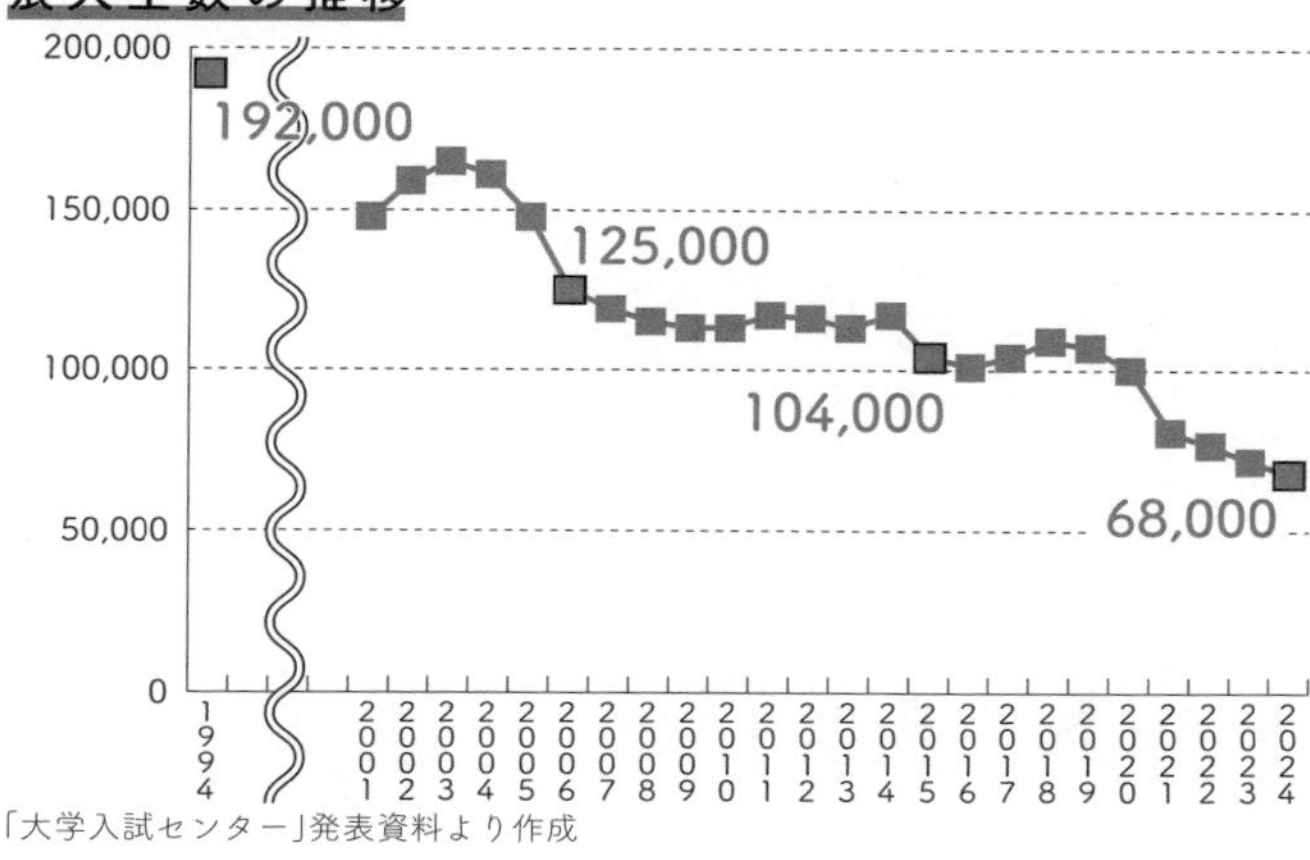

「大学入試センター」発表資料より作成

強せざるを得ない、という側面は確かにあります。平均的な学力をそこまでばらつきなく高くしてくれているのは、やっぱり受験のプレッシャーです。

とはいえ、日本では、大学受験の内容はどんどんゆるくなっています。

一例として、浪人する人の数がすごく減っています。独立行政法人大学入試センターによると、昨今の浪人生の受験比率は全体の15％程度まで減少しています。ほかのアジアの国とは好対照です。

反対に、高まっているのが中学受験熱です。特に首都圏ではすごくて、２０２４年度は前年度より９００人減の６万５６００人と９年ぶりに減少しましたが、受験率は22・

7%と過去最高を更新しています。

中学受験はやりすぎなところもあるとぼくは考えますが、大学受験の熱が下がっていくのと中学受験が過熱しているのは、セットなのかもしれません。

なぜ中学受験が加熱するのか

なぜ、大学受験の熱が下がることと中学受験の過熱がセットだとぼくが考えるのかというと、いくつか理由があります。

1つは、純粋に学力を測る試験の場が中学受験に移行しているということです。大学受験は総合型選抜の割合が増えるなど、学力だけではない方向に変わっています。高校入試も内申点などがあり、学力だけを測るわけではありません。

そうなると、100%ピュアな学力を競う場、本当に純粋な学力という透明性のかなり高い共通の尺度で競う場は中学受験しかないわけです。

でも、中学受験は時間もお金もかかります。さらに、**一番のデメリットは小学校6年生の段階で受験して、みんながみんな第1志望に受かるわけじゃないということです。**

小6の段階で頑張ったけれども報われないとか、そういう挫折を経験するわけじゃないですか。まだ人格もしっかり形成されないうちに、大きなショックを受けることになるわけです。それって、どうなんだろうな、そんなの必要？　という気がします。

大学受験ならほぼ大人です。受験の失敗程度の挫折は社会人ならいくらでもあるのでまだいいのですが、小学生にはあまりにもかわいそうじゃないですか？　ちなみに、小学校のお受験に関してはほとんど家庭や親の責任なので、子どもは別にショックを受けません。幼稚園児や保育園児の場合、「〇〇小学校を受かった／落ちた」なんて本人もよくわからないですよね。でも、中学受験は本人も痛いくらいにわかります。

中学受験で与えられる地位財

コストもかかり子どもに負担も強いる。それなのに、なぜ中学受験熱が高まるのかというと、中学受験したほうがその後が開けると思っている親御さんが多いからでしょう。

また、少し経済学に関連する視点では、**地位財**（**positional goods**）、**ポジショングッドといわれる財、商品があります**。商品自体の使用価値にはあまり意味がなくて、周りよりも相対的によい、高い商品を持っていることが重要というタイプの財です。

受験の場合は商品ではないですが、中学受験を行なうというサービス競争というか、努力の投入競争と考えると、たくさん投入したほうがやっぱり有利にはなれます。

ほかの子どもたちや家庭が、たとえば小5からスタートするところを小4からやれば、大きな差が出るかどうかはともかく、やっぱり一歩先んじることができます。でも、誰かが先んじたら結局、みんな前倒しになってしまう。

地位財の話は、子ども目線でいうと「ライバルの○○ちゃんよりもいい学校に行くために早めに勉強する」とか、「たくさん勉強する」という競争です。これが親目線に変わると、ますます地位財的な感じが強まります。

たとえば、自分の子どもがご近所さんたちと比べて少しでもいい学校に行けると、「いい学校に通わせている親」になるわけです。そこでのめり込んでいる親は割と多いという話を聞きます。

子どもをいい学校へ行かせるためにせっついて勉強させる。長い時間とお金をかけて子どもにたくさん勉強させるとか。まさに地位財です。

でも、みんな同じようにお尻を叩いてお金を出したところで、トータルの名門校のイスの数が変わらない以上は、どんどん疲弊度合いが高まっているだけです。

極めて虚しいですね。現実にはすごく勝つ人とか大きなリターンを得る人の数（＝トップ校の定員数）は、あまり昔と変わっていないわけですよね。だから投資の非効率性は高まっているという考えでいいですか。

間違いないと思います。

コスト&ベネフィットで考えたら、1つの世帯が投入するコストは少子化と塾産業の生存戦略もあって、どんどん高くなっていますよね。

しかも、**競争が激しくなれば当然コストは高くなるのですが、リターンは減っています。**なぜかというと、やっぱり中高一貫の名門校とか難関校に入る一番のメリットは、大学受験をするときにいい大学に入りやすい、そこに尽きるでしょう。

名門中学に入ればみんな当たり前のように有名大学に進学しますし、合格率も高い。中高のなかでもちょっと先取りした授業をしてくれるかもしれない。一番差が出るのが国内のいい大学に入りやすくなるということです。

しかし、現実にはその価値がどんどん下がっています。

先ほど西田さんも言及されましたが、わかりやすく世界ランクが下がっていて日本の大学の相対的な優位性がどんどん落ちているなか、いい中学に入るのが難しくなる一方で、リターンの大きい割合を占めているであろう国内難関大学への合格のしやすさという魅力は減っている。そういう意味で、コスパやタイパはどんどん悪くなっていますよね。

これをあまり言いすぎると、ちょっと読者の人は不快感を持たれるかもしれませんが、どうしても大学の学歴で慶應がいい、早稲田がいい、というときに中学からそれらの附属に入るのはすごく大変です。特に女の子は、定員が少ないのでめちゃくちゃ難しいんです。ところが、「どうしても早稲田の政経がいい」とかではなくて、学部はどこでもいいのでとにかく早慶に入りたいという場合には、学部によって入りにくさ、入りやすさがあるものの、大学まで待てば、なんなら1年浪人するぐらいのことを許容すれば、ある程度受験勉強をこなせる子なら受かります。

だから中学受験で、なぜそんなに無茶なコストのかけ方をするのかと言いたくなっちゃう（笑）。**大学で慶応に行きたいだけだったら、高校時代に勉強を頑張るとか、浪人を1年**

すればいいじゃないですか。

とはいえ、早稲田大学や慶應義塾大学に入るのは確かに簡単ではありません。

でも、たとえば立教大学や青山学院大学などはどうでしょうか。もちろん、これらもいい学校ですよ。だけど立教や青学の附属中学はめっちゃ難しい。びっくりするぐらい難しくて、同じ立教かと思うぐらい別世界です。だけどおそらく、大学受験時の立教の偏差値的には慶応や早稲田に比べてかなり入りやすいですよね。**実は、私立大学全体でみると、一般入試はすでに合格者数の半分以下なんですよ。推薦入試や、自分に合った分野の総合選抜入試を選べば、かなりの難関大でも入りやすい状況です。**

ですから、子どもを立教とか青山学院に入れたがっている親御さんには、高3の夏休みぐらいから本気を出す方法もあっていいんじゃないかとは言いたいですよね。

まったく同意ですが、グローバルエリートの安田さんが言うと説得力がちがいます。もっと安田さんに言ってもらおう（笑）。ぼくも一握りの勝ち組をのぞいて、社会的にみれば中学受験は害悪の塊だと感じています。子どもに負担を強いる理由が親の地位財的な感情であれば罪深いですよね。うちの子どもたちも「やりたい」と言い出したので、中学受験組ですが……。

中学受験の根元にある公教育への不信感

RYOSUKE NISHIDA

中学受験に関しては、最近の受験業界、特に首都圏の状況はかつてないほどに競争が加熱した状況かもしれません。「中学受験の普遍」化というべきか、クラスの3〜4割の生徒が受験するなど、あまりに当たり前のものになりつつあるからです。

今後はぐぐっと子どもの数が急速に減り始めるにもかかわらず。ヘンですよね。

出生数については、もともとは「2018年問題」などといっていました。しばらく子どもの出生数は年間110万人ぐらいで安定していましたが、いま、出生数は年間75万人くらいまで落ちてきています。

中学受験に関していうと、親のエゴも否めないのは確かでしょう。首都圏の中学受験では特にそれを感じます。学歴信仰、裏を返せばあまり根拠のない学歴コンプレックス、恨みは深そうです。

ただ、それはそれとしてもう1つあるのが、**公教育への不信ではないでしょうか。**

そもそも、いまうちの子どもたちは公立小学校に通っていますが、やっぱりぼくらの頃とは小学校が全然変わっていますよね。科目を問わず、議論させたり、意見を発表させるようになっていたり、デジタル系の教材を使ったプレゼンテーションなども増えています。これが結構いい。授業の方法という意味では、いまでも「アクティブラーニングの是非」などと言っている大学がもっとも遅れているようにも思えてきます。

そのような公立小学校の教育の延長線上にあると推論するのであれば、公立の中学校教育もそんなに悪くないんじゃないかともいえそうです。

しかし、我が家の子どもは結局、中学受験をしました。本人の希望ですが、さらにいえば、ぼくは東京出身ではなく、妻は東京出身ですが私立中学に通ったので、東京の公立中学の事情が今も昔もさっぱりわからなかったからです。ただ調べてみても、現場の公立中学の実情はなかなか見えてこない。**周囲を見ても、さほど根拠のない漠然とした公教育不信みたいなものが我々の社会にあるのではないかと懸念しています。**

なぜかということを少し考えてみたのですが、公立学校は自治体単位の教育委員会がガバナンスしています。公立の学校は自治体などと同じくＰＲや周知といったことがすごく苦手です。ホームページは前時代的で、ＳＮＳもほとんどありません。情報発信がスマホに最適化されていなかったりして、情報発信に力を入れる最近の私立中学とは真逆です。私立中学は校長自ら、営業パーソンとしてどんどん前面に出てくる学校もあったりします。学校のホームページは企業顔負け。情報量もとても豊富です。

最近では、東京の公立中学校も学校単位の進学実績を公開するようになりました。有力高校に何人合格みたいなことを公開する学校もあります。しかし私立と比べると足りない。両者の対比は親の公教育不信と関係するのではないかと実体験を通じて考えるようになりました。もっと公教育のアウトリーチ活動とか、公教育のパフォーマンスの開示が必要ではないでしょうか。進路選択に際して、私立中学と競争関係になっている首都圏などの公立中学にとって「公教育への不信」の払拭が潜在的には大事ではないかと思えるのですが、安田さんはいかがお考えですか。

公教育への不信感と受験制度の問題点

YOSUKE YASUDA

西田さんの指摘は、とても重要なポイントです。

なぜ公教育不信が起きるか、2つ理由があるかもしれません。

1つ目は、昔ぼくが聞いた話ですが、中学受験をしても行きたいところに行けなかったという子が出てきます。では、その子は公立の地元中学校に行くかというと、受験がうまくいかなかったことを子ども自身も気にするでしょうし、親御さんも気にするので、やっぱり優先順位は低いものの、受かった私立中学に行くようなんです。

そうすると、本来中学受験をさせる家庭は教育熱心なので、公立の中学に通ってよい教育を受けたら、それを周りの人に伝えたりできる親御さんも多いと思うのですが、そういう人たちが公立には来なくなってしまうんです。

かつ、そういった形で、理由はともかく私立を選んだときに、人はやっぱり自分たちの選択がいい選択だったと思いたくなるので、公立中学のほうがレベルが高いとか、いい面があることを極力見ようとしません。これは、心理学で認知的不協和と呼ばれているもので、自分の選択が正しかったと、みんな思いたいわけですね。

だから確かに、公立中学の取り組みをなんらかの方法で発信する外部のサポートみたいなものは必要です。公教育不信を払拭できるようなＰＲなのか情報発信なのかをやったほうがいいのかもしれないですね。

受験制度が「公立に行きたいけど行けない」を生んでいる？

また、２つ目の理由は受験制度そのものにあるのではないかと考えています。

つまり、学校選択の仕組みを変えると、誰がどの学校を希望して最終的にどこに進学できるかというのは変わり得るんです。

具体的な提案としては、入試の際、公立の高校を併願できるようにすることです。

現在のところ、公立高校の入試は一部の学校を除くと単願制です。

つまり、東京であれば都立高には何校も出願できずに、１校に決めなければなりません。

ちなみに、合格者はどのように決まるかというと定員があります。

出願した生徒の試験の点数と内申点があり、それのウェイトのつけ方は自治体よって、場合によっては学校によっても少し違いますが、あらかじめ決めた基準でスコア化されたものに基づいて、スコア上位から定員いっぱいまで入れていく。それを超えた人は残念ながら不合格というシステムです。

不合格になってしまうと、公立高校の場合はリベンジできません。もう私立に行くしかないという状況になっています。ある意味非常にリスクの高い方法です。

大体の公立高校に合格最低点のデータがあるので、受験生はそれを見ながら今年の出来で自分は行けるかどうかを考えて出願する高校を選ぶはずですが、いずれにしても願書を出せるのは1校です。

大学入試のように受けるテストからして違うのであればわかるのですが、実は、高校入試の試験問題は都道府県ごとに共通、つまり、同じ都道府県なら受けるテストは同じです。同じテストを受けて、でも出願できるのは1校なんです。

これは素人目にも、あまりにも非効率じゃないかという気がしませんか?

いまのやり方だと、希望している公立高校に点数が届かない場合、経済的に公立しか難しいという家の子どもの場合、不合格になったらまずいので志望校の順位を下げる必要があります。

逆に公立が駄目でも私立で行くところがあるとか、経済的に余裕があって公立にこだわらないという家庭は、行けたらラッキーぐらいな形で公立高校を受けて実際に入ることもあるかもしれません。また、点数が足りなくて希望の公立に出願できなければ、希望のレベルの私立に入りたいと考えるのはまったく不思議ではありません。

つまり、**１校出願だと運不運や偶然性や経済力に左右されてしまいます。**

このような状況だと、公教育に信頼を置くのは難しいですよね。

受験制度の改革は可能か

前述の受験制度を改善する方法はもちろんあります。

ぼくの専門でもあるマッチングの研究だと、1校だけ出願するのではなくて、第1希望はA高校、第2希望はB高校、第3希望はC高校と、ランキングつきのリストを提出してもらう仕組みをよく使います。

イメージ的には、**点数のいい人からその人の希望する学校に定員に空きがあれば入れていくという感じです。**上から順番に入れていくので、席が空いていれば行きたい学校に行けます。空いていなければ、第2希望第3希望に振り分けられます。そうすると、**「自分の点数がいま合格している最低点の子よりも高いにもかかわらずその学校に行けない」というような人は現れません。**

逆に言うと、現行のやり方はそれが起こり得るということです。

でも、このやり方を使えば、成績に応じて入れる学校にちゃんと各自の希望を踏まえて振り分けることができます。

単純なことなので、複雑な議論を経ずに、受験生にランキングつきのリストを提示させるやり方に移行さえすれば望ましい結果になるということは、古くから我々経済学者が提唱していますが、なかなか現状は変わりません。

なんで変わらないんですか？

はっきり理由を聞いたことはないのですが、やり方を変えて万が一クレームが出たときとかに仕事が増えてしまうとか、最初は慣れないのでオペレーションに失敗があったらまずいとか、そういうことではないでしょうか。
実際には1校だけ出願するのも希望順に何校かリストで提出するのもあまり変わりはなく、集められたリストをもとにパソコンでアルゴリズムを回せば一瞬で決まります。
だから、**失敗のリスクについてはほとんど心配しなくていいのですが、慣れないことをしたくない現状維持バイアスみたいなものがかかっていそうです。**
一方で、現行制度のマイナス点はあまり周知されていません。

だから教育行政に携わっている方にも、1校しか出願できないことによって志望校選びが家庭の経済環境に左右されることはあまり知られていないはずです。**というわけで、本書がベストセラーになれば、状況がガラッと変わるかもしれません！**

仮に全員が同じようなリスクにさらされるという視点で考えると、入試制度を変えても変えなくても、ある意味、平等性が担保されるのかもしれません。ただ、前述したように私立にどれぐらい気軽に進学できるかによって、公立高校の選び方が変わってきてしまうのは結構大きい問題です。

すでに実践している東京大学

入試制度をもしも変えるとすれば、お手本になる取り組みを近年行なったのが東京大学です。

東大は1〜2年生は教養学部で、3年生から専門課程が始まります。

2年生の途中で3年からどの学部のどの学科に進学するかを決めます。ぼくの場合は、文科2類だったので、基本、大部分の人は成績と関係なく行ける経済学部を選んでいました。同様に文科1類の人は法学部に行く、理科3類の人たちは医学部に行きます。少数の例外はあるものの、基本はそうです。

ただ、文科3類、理科1類、理科2類の人たちはデフォルトの進学経路がないので、すべての学部に対して進学要件を満たしていれば、一応選べることになっています。

どういう仕組みになっているかというと、高校入試に似ていて1つだけ選べます。1つ学科を選ぶのですが、小さい学科になってくると募集人員は2桁台です。そうすると、年によって進学最低点が変わったりするので、「去年83点だったから、84点で行けると思って書類を提出したら今年は人気が集中していて、足切りが85点で入れない」というようなことが起きるわけです。

たとえば理学部数学科に行きたいと思ったのに駄目だったとします。その場合、空いているほかの学科にもう一度提出し直すことは可能です。2回チャンスがあるのですが、そこでも決まらないと留年になってしまうんです。

入試でうまくいかなくて浪人するのはまだわかりますが、せっかく東大に入って学部選びで留年とはどういうことだと思うのですが、その仕組みがずっと採用されていました。

学生に不要なリスクを負わせていたわけですね。しかも、どの学科を志望するかを、戦略的に考える必要がある。本当に一番行きたいのは理学部物理学科でした、でも点数が高い、行けないかもしれないから数学科にしようとか。いろいろ迷って考えて、学生は真の好みを反映できません。

ずっと変えたほうがいいという話があったのですが長らく変わらず、２０１７年にようやく、マッチング理論の知見を生かしたランキングリスト提出方式に切り替わりました。それによって不要な留年も避けられますし、あれこれ戦略的に考えずに正直に行きたい学科をリストに書けばよくなった。あとは点数がよい人から順番に、定員が空いているなかで行きたいところに進学する。シンプルな仕組みなんですけど、誰も困らない。

これと同じようにやればいいだけですから、理論上はできるんです。

公立の学校選択の自由は私立との競争にも有効

区内や市内の公立中学校から行きたい中学校を自由に選べます。ランクづけしていきたい学校リストを提出したら試験結果に合わせて振り分けます。ということになったら、意外と公立中学校への進学希望も増えるかもしれません。

こういった制度を「学校選択制」といいますが、実際に導入されている都道府県は実はたくさんあって、２０１６年時点で中学校で学校選択制を導入している自治体は１８５

（13・9％）です。小学校でも導入されていますが、ここでは中学校の話をします。

東京都でも、品川区などは通学区域の生徒を受け入れたあとに受入可能であれば、区内のほかの区域からも生徒を受け入れる制度を導入しています。なので、実践している地域はある。

ただ、あくまで自分が住む区内や市内の学校のなかから選ぶ仕組みなので、「誰もが東京中の学校を好きに選べる」わけではないんですよね。

また、学校選択制のもとで申請できる通学区域外の学校は1校だけで、それが受け入れられるかどうかはわからないんです。定員オーバーで抽選に漏れると、地元の学校である通学指定校に行くか、それが嫌なら私立を選ぶしかありません。

でも、区内のもう少し離れた別の中学校も選択肢になるのであれば、別に中学受験をしなくてもいいかもしれません。公立が私立に対抗する手段としても補完性が強いはずです。

また、各中学校の取り組みの違いがわからないので情報発信してくださいとか、1日オープンデーを設けて、地域の人たちにどういう授業をしているのか公開しましょうといったことも起こりやすいはずです。**情報発信は、学校選択制を導入した自治体では起こりやすいんですよね。**

COLUMN

増える学費負担問題は解消できるか

RYOSUKE NISHIDA

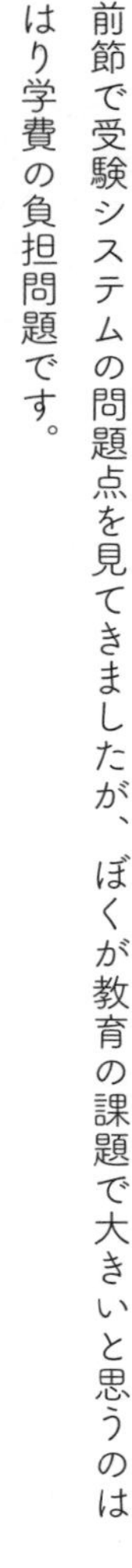

前節で受験システムの問題点を見てきましたが、ぼくが教育の課題で大きいと思うのはやはり学費の負担問題です。

こうした事情を背景に、いま教育や子育てが政治イシューになってきています。

前述の通り前明石市長の泉房穂氏が「救民内閣構想」ということを唱えています。その政策の柱は2つです。1つは、時限つきの消費税の0％化。もう1つが子育てと教育のコスト削減。これで政権交代を取りにいくんだと泉氏は言っています。それくらい、教育や子育てが関心を持たれるイシューになってきています。とてもおもしろい現象です。

なぜ教育と政治が結びつくとおもしろいかというと、日本では、伝統的に教育は票にな

らないと考えられてきたからです。

なぜかといえば、**利権が少ないためです。**せいぜい私立学校の法人の役職程度で、天下り先もありません。そのため、基本的に教育と外交は票にならないとされてきました。

しかし、ここにきて「政治と教育」がぐっと盛り上がってきています。

唐突にイギリスの話を取り上げますが、90年代のイギリスでは、サッチャーらが所属した保守党が強く、もう1つの政党である労働党は死に体でした。

そこへ、トニー・ブレア※が出てきました。彼のブレーンに**アンソニー・ギデンズ**※という社会学者がいました。「新しい社会民主主義」という当時の政策的流行の理論的支柱の1人でした。世界的にもとても有名で、政治や経済といった日本の社会学者が最近はあまり論じない領域についても多数議論の俎上に上げ、イギリスの政策や実務にも大きな足跡を残しました。そもそも社会学者が世界的な社会科学系の名門LSE（ロンドン・スクール・オブ・エコノミクス・アンド・ポリティカル・サイエンス）の学部長を務めたというのも前代未聞ですよね。

当時、ギデンズは「第三の道（the Third Way）」という構想を提案しました。

これは、市場の力を使って社会問題を解決するという考え方です。それが福祉国家でもなく、市場放任主義でもない新しい政治のあり方であり、新しい社会民主主義なんだとい

※トニー・ブレア（1953年～）：イギリス第73代首相（在任：1997年5月2日 - 2007年6月27日）、第18代労働党党首。
※アンソニー・ギデンズ（1938年～）：イギリスの社会学者。ロンドン・スクール・オブ・エコノミクス・アンド・ポリティカル・サイエンス（LSE）名誉教授。

うことを唱えたものです。ここまではよく知られているんですよ。

それと同時に、ギデンズは「教育が大事だ」ということを強く言った人です。**教育を立て直すことが、社会を立て直すこととも結びつくということを強調した人でもあるんです。**

この新しい社会民主主義という構想は、欧州、それからクリントン政権のときのアメリカとかにも少し波及しました。泉氏の教育無償化などの「救民内閣構想」は、30年遅れた日本の新しい社会民主主義といえるかもしれません。

ちなみに、この考え自体は当時欧州を中心に、ある程度受け入れられたものの、ブレア自身はアメリカのイラク戦争に追従したということですごく評判が悪いです。

ちなみにイギリスでは、ブレアとギデンズが掲げた教育改革は実を結んだといわれているんですか？

そうとも言えません。彼が行なった公立学校改革の基本は投資の拡大でしたが、それでも公教育の凋落を止められなかったということなのかもしれません。

ご承知の通り、イギリスの場合はもともと階級社会なので、効果は限定的だったのかもしれません。

教員不足は解消できるか

YOSUKE YASUDA

教育の課題といったときに、中等教育までの先生たちの課題の1つに「なり手不足」があります。教員を志望する人たちが減って競争が働かなくなってきて、**教員の定数に対して、希望者が全然集まらないという状況になりつつあります。**

一般的に不景気には教育学部や教員志望の人が増えるといわれています。就職氷河期の頃はやはり教員採用試験の倍率が高かったので、「教員の質」も高かったのです。少なくとも競争によって質がある程度保たれていた。

一方で、いまはそうじゃなくなっています。

たとえば、学校はブラック職場であることが知られるようになっていて、中等教育以下の先生のなり手不足が問題になっているいま、何かできることはないのでしょうか？

そもそも、公務員で首を切れないとなると、人事や採用が非常に硬直化します。

中学校の教員の年齢構成

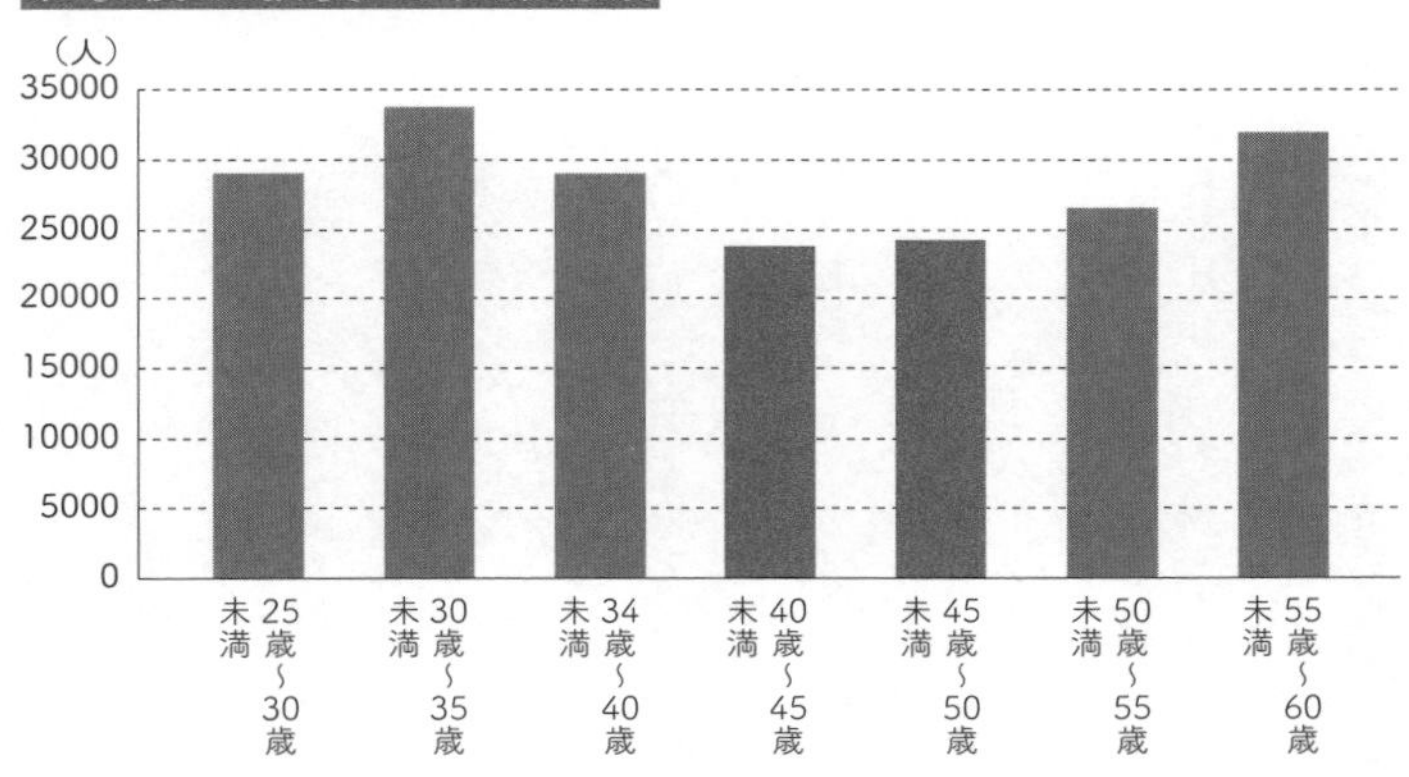

「令和4年度学校教員統計調査」（文部科学省）データより作成

就職氷河期は教員採用試験の倍率が高かったうえに、新規採用需要が少なかったらしいんですよね。なぜかというと、教職員はトータルの定員がほぼ決まっているからです。

そのため、上が抜けていかないと新規で採れない。就職氷河期世代が教員採用試験を受けていた頃というのは団塊の世代も現役だったので、「空き」があまりなかったのです。

不況の影響もあって希望する人は増えたので、めちゃくちゃ狭き門でした。そのため、教員の年齢構成をグラフ化すると40代半ばぐらいが極端に少なくなっています。

しかも、団塊世代は２００７年頃に定年を迎えました。その結果、一気に教員が減ったので、以降は若い人たちがバーッと採用されました。ただ、需要が多かった一方で、景気がいい時期だったので教職人気はそこまで高くはなかったわけです。

そうすると、少なくとも就職氷河期世代に比べると２００７年以降世代はレベルが下がるかもしれないし、それ以上に、20代とシニア世代の間をつなぐ層が少ない。要は、いろいろなノウハウを伝えるのが難しくなっています。

このように、「なり手不足」は、定員が決まっていて抜けたところに入れていくという、まったく未来を考えていない硬直的な採用プロセスのせいで一層深刻化しました。

もともとが公務員だから仕方がないというのはあるんでしょうけれども、もう少し将来を考えて各年代の人数をある程度揃えておけば、一気に抜けることはなかったんじゃないでしょうか。もとからグダグダな設計になっていたせいでより問題を拡大してしまった面があると思います。これは何とかならんのですかということなのですが、一方で、副担任制度も始まって久しいです。

必ずしも1人の先生が1クラスを担当するんじゃなくて、複数で受け持つため、先生の仕事量は増えます。そういった意味での需要は増えている一方で、教員数が減る。

計画的に採用してこなかったのはいまさら変えられないので、応急措置に動くしかありません。ぱっと考えられるのは待遇改善ですよね。やっぱり教職の重要性は多くの人がうなずくはずなので、その重要な職を守るためには……という視点での改善が急務です。

「教職の重要性」が失われている

安田さんは、「教職の重要性は多くの人がうなずく」とおっしゃったのですが、いまもそうなのでしょうか。ぼくたちも含めて、むしろ日本における教職員や博士号保持者の社会的地位は世界と比べて相対的に低くないですか？

よくこの例を出すのですが、『シン・ゴジラ』という映画で印象的なシーンがあります。前半で、ゴジラがゴジラと特定される前に、未確認巨大生物が海中のアクアラインを壊すのですが、「あれはなんだ？」と官邸はとりあえず学者を集めます。

会議が開かれますが、研究者は何かよくわからない。総理は嘆息しながら「誰か役に立つやつを連れてこい」という趣旨のことを口にします

あのシーン、ぼくは「日本における教育の姿」を象徴しているなということで、強く印象に残っています。

つまり研究者は職業上の慎重さから一般に断言を避ける傾向にありますが、一般の人からすればわかりやすく断言しないので、「使えない」ように見えがちです。エンタメとはいえ、ぼくは「そうか！」ととても腹落ちしました（『シン・ゴジラ』は大好きなのですが……）。

このあたりに、ものすごく難しい教育の社会的環境があるのではないかと思っています。大学教員はまだ裁量が大きいので、そういう雰囲気があったとしても最後は「その人次第」というところがありますが、その一方で、小学校の先生とか中等教育以下の先生はやはり裁量性の範囲がとても狭いですよね。

大学教員への信頼も徐々に低下している気がしますよね。確かに、昔は「教師は聖職だ」みたいな話だったのが、我々にしてもいまや学生さんたちは顧客に変わりつつあります。

学校の先生に関してでは、昔に比べて割と気軽にクレームを入れられます。きちんと教員に課題を指摘できる環境が重要であることは当然ですが、教員に対する敬意はどんどん失われ先生たちも働きにくくなったのかなとは感じますね。

教職員の裁量性を取り戻すには？

教職員の裁量性と関連して、ぼくが思い出すのは「主権者教育」です。教育の中に、政治教育という分野があります。政治の教育に関する分野で、旧教育基本法の8条、いまの14条ですね。「公民としての教養はこれを尊重する」というようなことが書いてあるんですよ。

旧　教育基本法（1947年3月31日　法律第25号）
第8条（政治教育）　良識ある公民たるに必要な政治的教養は、教育上これを尊重しなければならない。

このような従来からあった規定に加えて、投票年齢が満20歳以上から満18歳以上に引き下げられました。

これを受けて、学校にも主権者教育ブームがやってきました。

高校の必修科目に位置づけられる「公共」と「歴史総合」という科目ができ、それから投票年齢が引き下げられて主権者教育が重要だといわれるようになったにもかかわらず、現実政治を題材にした主権者教育を実践している学校はとても少ないのが現状です。

たとえば夫婦別姓についての議論など、いくつか主要政党の主張があって、どの政党があなたの好みにマッチしますか？　というような授業ができそうじゃないですか。しかもできたらおもしろそう。でも、実際にはほとんどできない。

では主権者教育で実際に何をしているかというと、基本的には選管（選挙管理委員）に来てもらい、模擬投票をしています。「架空の政党A、政党B、政党Cの主張のなかでどれがいいか考えて投票してみましょう」といったプログラムです。選管も出前事業と模擬投票を用意するなど、「共犯」関係。

主権者教育を巡る状況は日本の教育現場の裁量性の低さを象徴していると、ぼくは考えています。主権者教育にもいくつかのグッドプラクティスはあるのですが、政治家が横槍を入れがちです。それか親がクレームを入れる。

どのようにクレームを入れるかというと簡単で、「偏っている」というのです。「学校と教育委員会は偏向教育を許すのか！」というわけです。時代錯誤もはなはだしい（笑）。

ちなみに、自民党は主権者教育が始まったときに、偏向している主権者教育を通報するサイトを作って炎上しました。野党も同様で、学校での政治教育、主権者教育に対して偏った教育をしていると教育委員会に地方政治家が電話する事案がありました。

最近だと菅義偉元総理が総理大臣を辞めたあとに、神奈川県の公立高校が講演会をやろうとしたことがあります。これ、なかなかいいじゃないですか。総理大臣の経験とか、話もおもしろそうです。生きた政治の教材になりそうですよね。でもやはり自民党に偏っていると非難が殺到し、菅氏は自分で身を引いて辞退しました。

教員の地位利用の選挙運動や学校現場での選挙運動は現行法で認められませんが、かといって「前総理の経験談」がただちに選挙運動になるとは限らないどころか、一般に政治家も選挙運動には慎重で、事後に精査可能です。むしろぼくも興味があるし、政治への関心を高めそうだと思います。

このように、**主権教育1つも自由にやれないという、学校の裁量性のなさがすごく問題なのではないでしょうか。**学校と教育委員会に裁量がないのであれば、1人1人の先生たちの裁量がとても限定的であることは自明です。

この**裁量性のなさが日本の教育の強いボトルネック**になっています。

そうですね。ルール上やれないのではなくて、やったときにどういうことが起きるかを予測すると動けないということですよね。目に見えるルールで縛られているわけじゃないんだけれども、リアクションを考えると動けない。そういう状況が続くと、アイデアすら湧いてこなくて、特色のある

教育ができない。その意味では、ジレンマ的な状況にいる気がします。

そういったジレンマに陥った場合に、ルール化するという打開策はありそうです。外からルールをはめていくやり方がいいのか悪いのかという論点ももちろんあると思いますが、政治と教育という話に関して、**我々の社会は個人の独立した意思決定と選好の表明があまり好まれない社会であるということはいえそうです。**

そういう社会で政治と教育、教育の自由と政治的な言説、教育への介入といったときに、教育の側を守る仕組みが必要ではないでしょうか。

具体的にどんなものがあるのかといえば、たとえばある種のネガティブリスト方式。つまり、最低限の禁止事項を明確にしながら、それ以外の事項については原則として教育の現場に裁量があるということを改めて確認していくやり方です。法律で厳密に禁止事項を定める。主権者教育の自由と裁量に関する合意事項として、政党間で「教員の地位利用の選挙運動の禁止と、教員の政治的主張の押しつけなどは認められないが、原則として学校と教員が自由闊達な主権者教育を実施できる」という合意を作るようなイメージです。

1950〜1960年代には、学校現場は基本的に左側だったので左派による、PTAの会合や家庭訪問で選挙日のビラを配ったりした選挙違反事件がありました。

ですから教員の地位利用による選挙運動や政治的な偏向教育に教育の現場や政治家が敏感なのはわからないわけではありません。でも、してはいけないことを決めて、学校現場には裁量があって、そこに対しては介入しないことを与野党間の協議等で決めて、それを文科省が追認するような形で改めて確認をしていく。これまで幾度か雑誌や新聞などでも書いてきたのですが、ほとんど誰からも賛同を得たことがありません（笑）。

意図がどうであれ、結果的に、やや偏向した教師が特定の政党の話とかし出すと影響を受ける子がいるかもしれないことを過剰に恐れているのではないですか？　政治の話はあまりするべきじゃないみたいなカルチャーもあるじゃないですか。それを「子どもに対して超えてはいけない一線」みたいに思っている大人が多いのかなという気はします。

それについては日本の政治の話に関する研究があって、従来、我々の社会では政治とお金と野球の話はタブーといわれてきたのですが、そうでもなさそうだということが最近は指摘されています。「政治の話」の範囲を広くとると、我々は実は政治的会話をしているという研究があったりします。

COLUMN

主権者教育をしていないから主権者が育たない？

RYOSUKE
NISHIDA

前節の「政治の話をしてはいけない」という幻想について、ぼくはこの考え方は、第2会議でもテーマに掲げた投票率の低さと無関係ではないと感じています。政治的主体は自然に存在するわけではないということを思い出すべきです。

ぼくは「現実政治」と呼ぶのですが、たとえば、自民党とか立憲民主党など、具体名を挙げた現在進行形の生々しい政治の話はあまり人前でするべきではないという規範意識は根強いと感じます。大学生もそうです。「偏りたくない」といったところでしょうか。

しかし、他方で他国の主権者教育の中身は何かとか、自民党はどうなのかとか、消費税減税するべきなのか否かとか。ガソリン減税に関してトリガー条項を使ったほうがいいのか使わないほうがいいのかなど、こういう議論をするべきだと思います。リアルでしょ？

ちなみに**多くの国においては、こうした政治教育が基本的に認められています。**繰り返しですが、一般に制限されるのは教員の地位利用の選挙運動です。教育の自由と裁量性が、政治教育も含めて尊重されているのです。政党の話をするときには押しつけにならないようバランスよく紹介するべきだといった倫理規範はあるものの、自身の政治的志向性の表明も認められていることが少なくありません。また、多くの国で、政治的な関心の低さに対するテコ入れとして、大体1990年代から2000年頃に政治教育の見直しをやっているのですが、我々の社会ではあまりそんな気配は感じません。

安田さんも、たとえば自民党とか、共産党でもいいんだけど、政党の具体的な話は学校でやらないほうがいいと思いますか？　ぼくは取り上げたほうがいいと思っています。なぜかというと、少々乱暴にいえば、日本人の大半は、たとえば立憲民主党と国民民主党の区別がほとんどつかないからです。若手中堅のビジネスパーソン向けの政治研修などをやることがよくあるのですが、ほとんどの人が区別できません。

確かにやりすぎるとよくないし、「偏向的ではないテキスト」をどうやって作るのかというと実務的に難しいのですが、しかし我々の社会はあまりに「現実政治」を知らさすぎるから、何かしらやったほうがいいんじゃないかということさえ思っているんですよね。

ルソーの『告白』という本があるのですが、「結局国民は、国家が意図する政治的プロパガンダみたいなものから自由になれない」という趣旨のことを書いています。

政治的な知識は後天的に獲得される「政治的社会化」という学説を先取りしているような書きぶりですが、教育でかなりテコ入れしないと、我々は政治的に賢くならないんじゃないかと考えるのです。

投票年齢が下がって、場合によっては高校在学中に投票できるわけじゃないですか。そのときに何も知らないと「動画で見たから」とかで決めざるを得ません。それではもったいないので、ある程度の公平性、中立性がある学校の教育現場で、たとえば各党の歴史とか最近掲げている政策とかをバランスよく紹介するみたいなことはやってもいいかもしれないですね。それによってすごい関心は高まると思います。

ぼくもそう考えています。昔、『民主主義：文部省著作教科書』という教科書がありました。それを現代語訳して「共産主義の危険」をことさらに強調し時代遅れになっている部分をカットして、主権者教育が始まった頃にQ＆Aをつけて復刊したことがあります。

そのテキストは直接のバイネーム（個人名）では書かれていないのですが、著名な法学者の尾高朝雄（おだかともお）が取りまとめたといわれています。

この教科書は1950年代の数年間しか使われませんでした。おもしろい話もあります。この教科書を配ったときに、共産党から尾高をはじめとする執筆陣と文部省は、「国がプロパガンダ教科書を作って政治教育をやっている、こんなのは憲法違反だ」ということで訴えられました。

一連の騒動の過程で尾高は国会でおもしろいことを言っています。**教育と政治を見たときに、教育が脆弱であることは明らかだと。擁護されるべきは政治ではなく教育であると言い切っています。**自由な思想の教育を行なうために『民主主義』という教材を入れているけれども、同時に自由に教育ができる環境をしっかり守っていくことも大事である、という趣旨のことを言っているのです。

現実には尾高の考えとは異なり、日本社会の保守化の流れのなかで、『民主主義』という教科書もなくなり、教育現場も巻き込む保守と革新の対立のなかで政治教育は棚上げされ、いつの間にかタブーになってしまいました。

「主権者教育」ブームでも「現実政治」は扱うコストが高いので、やはり慎重に無視されたまま。この現状はどうすれば変えられるのか。いまも考え続けています。

教育における格差問題を考える

YOSUKE YASUDA

教育のなかでも中学受験、教育コスト、教員の裁量など多方面から問題をクローズアップしてきました。本会議の最後では男女格差について言及します。

ぼくが大学に関する国際的な比較で衝撃を受けたのが、大学生の男女比です。これを見てみるとOECD諸国のなかで男性のほうが多いのは日本ぐらいなんです。北米とかヨーロッパはもう軒並み女子のほうが進学比率が高いんですよね。

日本にいるとわかりやすく地方格差と男女格差があって、47都道府県のうち、女子が男子の大学進学率を上回っているのは徳島県（女子52・6％）と高知県（同49・1％）、鳥取県（同43・4％）です（文科省「2022年度学校基本調査」による）。ほかはすべて男子のほうが進学率は高くなっています。

OECD諸国の女性の学士号取得者（四大卒以上）の割合

各国の25〜34歳の女性のうち、学士号以上の資格を持っている人の比率（%）

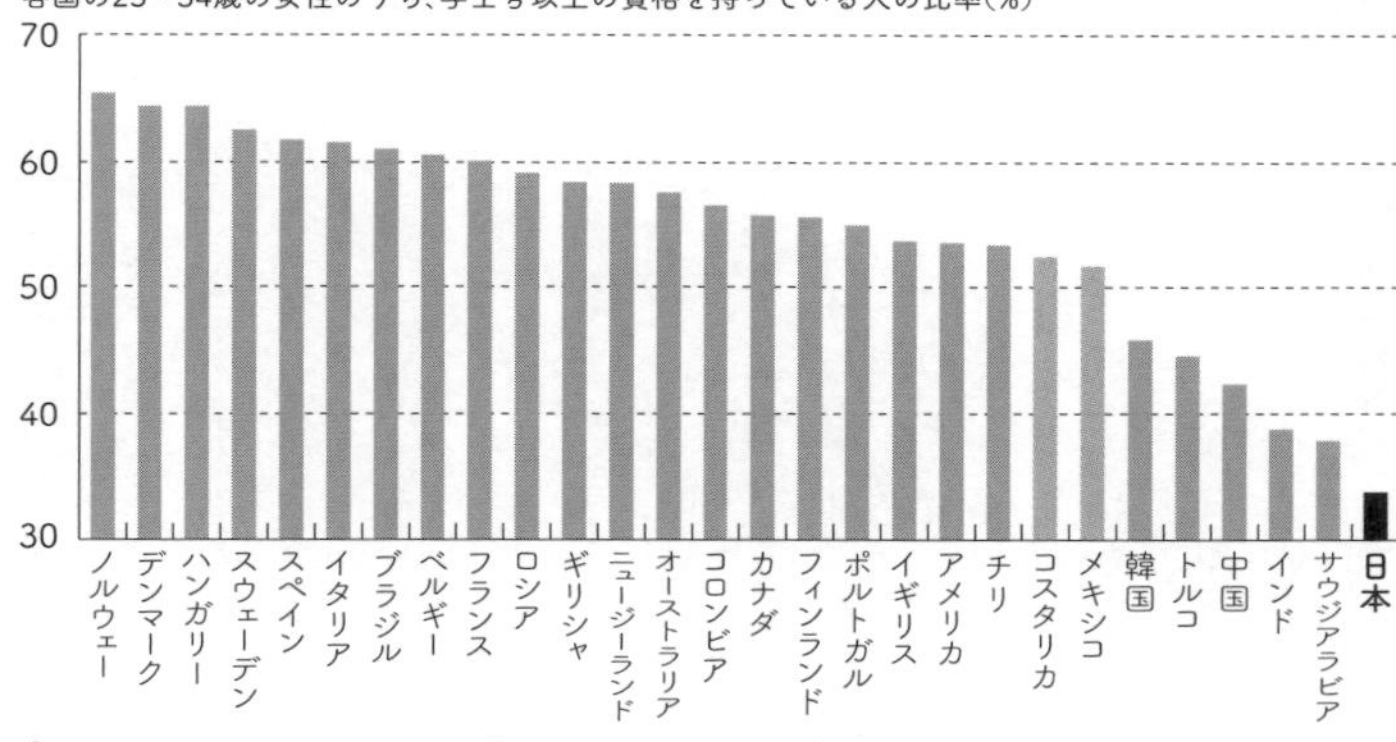

『Education at a Glance 2021』（OECD INDICATORS）をもとに作成

伝統的に、女性が大学を出てキャリアを築いても期待できるリターンが少ないのであまり熱心に大学に行こうとしないという深刻な構造問題があるのと、あとは女性には短期大学という選択肢があるから、という点が大きいのではないでしょうか。

ところが、「〇〇女子短大」は最近はどんどんなくなったり、4年制大学に移ったりしています。それによって、ある程度はギャップが縮まっていくとは思われます。

なので、日本に固有とまではいえないかもしれませんが、女性だけもっぱら2年制の大学に行っていたというのが、ほかの先進諸国との違いを生み出している大きな要因かもしれません。

しかし、一番大きいのはやはり、大学を出たあとの年収であったり結婚の機会であったり、リターンの期待値（期待リターン）が男女間でだいぶ違うところでしょう。

実際に、たとえば東京大学の女子学生比率はいまだにすごく低い状況です。20%ぐらいで、ぼくが学生の頃からほとんど改善していません。

これって結局「炭鉱のカナリア」みたいな形で、どのくらい女性の社会活躍が真に進んでいるかを見る、とてもすぐれた物差しではないでしょうか。

なぜかというと、中学や高校の段階では男女間での基礎学力にほとんど差はありません。むしろ女性のほうが優秀だったりするわけです。

にもかかわらず、大学入試を経て、東大などの難関大に入学する学生のジェンダーギャップがこれだけあるのは能力の問題ではなくて、どれぐらい時間やコストを大学進学に投資するか、という投資インセンティブの違いが如実に出ているからです。

何がその投資量の違いを生むかというと、大学を出たあとの期待リターンや、家族や教員などまわりの大人たちからの影響ですよね、普通に考えると。

ご家庭、親御さんが子どもの進学についてどう考えるか、ジェンダーによる価値観の違いのようなものが現れています。

本人の能力とは関係なく、社会の女性活躍の度合いと周りが期待するジェンダー観みたいなものが影響しているからこそ、本人の投資行動が変わってくるわけです。

それを測るのに、やはり東大の女子学生の比率は優れた代理変数ではないでしょうか。この数字が改善してないということは、**表面上就労率が上がったり、女性でも中間管理職以上に進む人がある程度増えていたりしても、やっぱりいまだに水面下ではジェンダーギャップが残っているということです。**足元で、優秀な女子高校生たちの行動が変わっていないわけですからね。

期待リターンと親などの制約条件のどちらが効いているかも興味深いです。東大を出てからの行き先はほかの場合と比べてジェンダーギャップがかなり少ないはずなので、期待リターンは男性も女性も変わらないのでは？　だとすると期待リターンの違いよりも、社会のジェンダーを巡るさまざまな偏見、差別意識、規範感情などが関係している気もします。

でも、地方だと優秀でも女の子には教師があまり東大はすすめない……というようなことを聞きますよね。本人だけではなくて周りの大人、つまり親や教師にアンコンシャスバイアスがあって本来のポテンシャルとは違う道をすすめているということはありそうです。
また、経済的な意味では西田さんがおっしゃるようにそんなに男女差がなくなってきているかもしれない一方で、よく聞くのが「女の子で東大に行くと結婚しにくくなる」とかですよね。これは本人もそうだし、親御さんにとっても「行かせて大丈夫なのか」という懸念材料にはなりそうです。

そうか。親が期待するリターンもあるわけですね。

そうそう。必ずしも経済的なリターンだけではないっていう。

安田さんは東大ＯＢですけど、実際に東大卒の女性は結婚できないんですか？　それとも都市伝説なんですか。

男子は1度は結婚している人が大半なのに対して、女子は40歳を過ぎても未婚という人

東京大学OG・女子学生の婚姻率

さつき会が2021年に行なったアンケート調査によると、
回答した東大のOGや女子学生の未婚率は18.8%

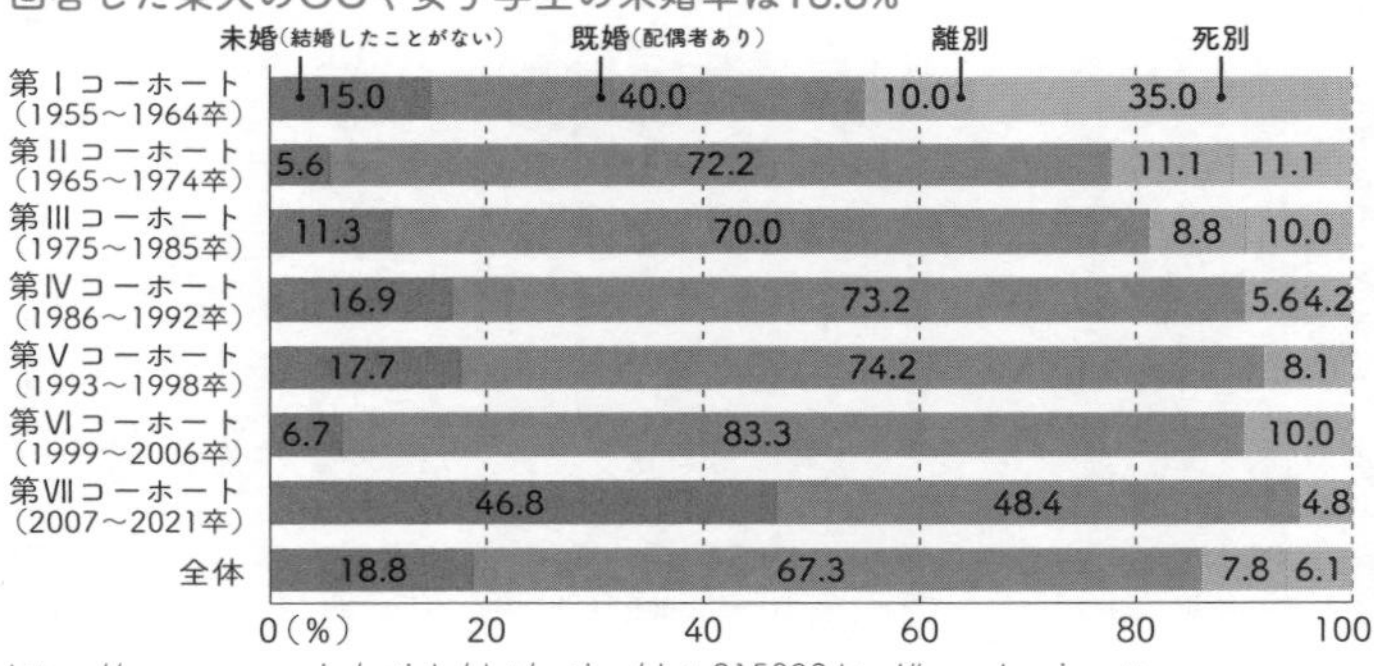

https://news.goo.ne.jp/article/dot/nation/dot-215032.html#google_vignette
「東大女性の実態調査〜キャリア・生活・意識〜」（さつき会）から引用

が知り合いにも何名かいます。ただ、実際のデータを見ると、東大女子の未婚率がいちじるしく高いわけではないので、その意味ではちょっと誇張されすぎている気もします。

男女問わず、東大を卒業していい企業に就職したり役人になったりする人は多いですよね。そして男性の場合はキャリアと結婚の両方を追求できています。

つまり、家事や育児は配偶者が担ってくれるのでキャリアに集中できるという、男性が思いっきり下駄を履かせてもらっている状況はまだ続いています。

一方で、女性だとそれが難しいので気がついてみたら仕事はうまくいっているんだけど、キャリアを追求し続けた結果、婚期が遅れる、逃すみたいな人はいますよね。同じゼミ出身者とかクラスメイトとかを振り返ってもそういう印象を受けます。東大女性の婚活を専門にしている会社が行なった実態調査でも、そういった結果が出ています。

「女性が少ない職場」のもう1つの問題点

ぼくの前任校の東工大は、そもそも女子学生が少なすぎて、入学者比率でいうと女子学生率は10％くらいでした。

そんなに低いのですね。理工系中心の学校だから仕方ない、とまではいわないまでも、どれだけリケジョブームとかいっても、そんなにすぐに理系を目指す女子が増えないという点は理解できます。でも、東京大学は文系学部でも少ないですからね。経済は特に酷くて、2割にも届きません。法学部は経済より多いけど、2割ちょっとくらい。女子学生が多そうなイメージのある文学部でも3割を切っている状況です。

本書の編集者も女性で、「大学時代からずっと男性社会だった」ということを言っていま

東京大学文系学部の男女比

学部	男子生徒(人)	女子生徒(人)	女子比率(%)
経済	658	153	19
法	712	216	23
文	543	209	28
教育	118	96	43

「2023年度5月学部学生・研究生・聴講生数調べ」(東京大学)より作成

した。地方国立大学の文系出身だと聞いていますが、それでも男性の割合のほうが圧倒的に多かったと感じていたわけです。そういう女性は多いのではないでしょうか。

これは意外と重要で、男性がマジョリティのところに女性を入れると、優秀な人であってもパフォーマンスが上がらないという事実が知られています。

やっぱり女性はあまり競争的な振る舞いをしない傾向があるので、とりわけ周りに男性社員とか男性のメンバーが多いと、本来ポテンシャルが高くても、自分を出しにくいっていうか、遠慮しちゃう構造があるらしいんですよね。ある程度の割合まで女性が増えると、その優秀な女性を入れたときにパフォーマンスはすぐ上がるようです。

なので、**ほぼ男社会のなかに、ちょこっと数名だけ女性を増やすみたいな抜擢をしても、パフォーマンスが上がりにくいんですよ。**

結果的にパフォーマンスが上がらない。男性を入れた場合と比べてマイナスだから、女性登用を見送ろう、みたいな誤った結論を導き出してしまう。だから、変えるなら思い切って大きく変えないと、そもそも女性がパフォーマンスを発揮できないってことは、研究では知られているみたいですね。

我々も、もし女性だらけの職場に放り込まれたら関係性形成が困難で、仕事できない気がしますよ。ぼくはただでさえ人間嫌いなのに、そんな職場だと関係性を築くのは難しいんじゃないか。女子会についていくわけにもいかないでしょうし。そういう想像をすると、やっぱり男性だけの職場に女性が少数いると働きにくいですよね。

表面上のダイバーシティは、女性の取締役や従業員を増やせば数字としては達成できるんでしょうけど。まさにダイバーシティ&インクルージョンの後者のほうが課題で、ただ単にちょっと数を増やしても全然インクルーシブな関係にならないんでしょうね。

大学の女性比率を増やす方法

YOSUKE YASUDA

男女比率の格差を解消する方法というと、たとえばクオータ（quota）制※などを採用して、女子比率を3〜4割とかに割り当てるとかはすぐ思いつきますよね。東工大も女子学生比率について現在の10%からまずは20%を目指すとか、東大をベンチマークにすると言っています。悪くはないですが、それだと女子学生比率を少し改善するだけなので、効果が現れるにはずいぶん時間がかかりそうです。そうなると、やはり4割など、そういう目標にしないとダメそうですね。

アメリカの大学だと、もともとアイビーリーグはすべて男子校だったところに女子を受け入れたので、最初はアファーマティブアクション（積極的な格差是正）をやりました。

※クオータ制：格差是正のためにマイノリティに割り当てを行なうポジティブ・アクションの手法。たとえば政治の分野では、議会の男女間格差是正を目的として、性別を基準に両性の比率を割り当てる。

元々コミュニティカレッジとかにいた女子学生たちをバッと入れるわけですから、成績面等では差があります。そこで最初はある種の下駄を履かせたんですけれども、すぐに下駄は必要なくなって、いまは実力で採ると女子のほうがたくさん入ってきちゃうから、逆アファーマティブアクションみたいなことを一部ではやっているそうです。

つまり、SAT®(大学進学適正試験)のスコアやエッセイとかだと女子が好成績になるので、男子も多少は入りやすくなるように入学基準を調整している大学もあるんじゃないかっていう話ですね。

それっていつ頃ですか?

ぼくが留学したプリンストン大学は、実はアイビーリーグのなかで女子学生を受け入れたのが一番遅いらしいんです。ある意味もっとも保守的で、共学化したのは結構最近、1969年です。20世紀も後半ですね。※

男女同権どころの話ではなくて、そういう意味ではとても遅れていました。

しかし、いまはもう男女比率はほぼ半々になっていて、アメリカの大学は大体そうです。それは裏事情もあって、50%からすごく乖離すると、女の子が多くても少なくても大学の

※『なぜ東大は男だらけなのか』矢口祐人(集英社 2024年)参照。

ランキングが下がるんですよ。

そもそもこうした基準のランキングがいいかどうかという議論もありますが、ランキングがあるおかげで、どこの大学もジェンダーバランスや人種的なバランスなどを意識して取ろうとしていますよね。

他方、人種間のバランスを取らない大学として有名なのが、カリフォルニア工科大学。通称カルテクですね。カリフォルニア工科大学は人種のバランスを一切見ないと公言していて、学力とかSATとかだけで見ると。

そうすると、いまはもう4割近くアジア系になっているようです。抜群に成績のいい子はみんなアジア圏なので、そういう偏りが出てくるってことですよね。


こうやってみるとアメリカも結構ヤバいですね。アファーマティブアクションというと公民権運動に関心が向きがちですが、この場合はフェミニズムの影響なのでしょうか。

はい、まさにそういった社会の動きに対応しています。共学化の流れが起

きて、男子大学のままでいると、女子学生はもちろん保守的な姿勢を嫌う優秀な男子学生も来なくなってしまう。プリンストン大学を含め、競争のプレッシャーにさらされた結果、各大学が次々に女子学生を受け入れていったようです。

あとは、アイビーリーグだと男子校のそばに、もともと姉妹校ではないですが併設校みたいなのがあって、女子はそちらに通っているケースもありました。そのバラバラだった2つの大学がくっついて共学になったというような歴史もあります。大学によってそのあたりの経緯は違えども、重要なのは結構最近まで男子校だったということですね。

戦後すぐぐらいまで、アメリカの名門大学は、本当にいわゆるＷＡＳＰの人たちが文字通り牛耳ってたんじゃないでしょうか。

やっぱり、ある種の意思の問題ですよね。

After discussion 03

経済学と学力研究の意外な関係

安田洋祐

「なぜ、社会学者と経済学者が教育を語っているの？」と不思議に思われた方もいるかもしれません。1つにはぼくたちは学者であると同時に教育者でもあるからなのですが、もう1つ、経済学は「学力」の研究とも意外と深い関係にあることをお伝えします。

第1会議のAfter discussionでお話しした通り、経済学とは森を見る学問です。ミクロの具体的な事柄にはあまり注目しないため、「森しか見ない学問」と揶揄されることもあります。しかしそれは、個人のインセンティブを見ないということではないのです。

たとえば1960年代にアメリカで活躍した経済学者、ゲーリー・ベッカーは家族、結婚、学力、依存性薬物の合法化など、さまざまな社会問題に経済学の手法を応用した最初の経済学者の1人です。彼が注目したのがまさに消費者や労働者としての個人の損得、インセンティブでした。学力などの人間が持つ知識や技能は、経済学では人的資本（ヒューマンキャピタル）としてとらえることもできます。その資本によって得られる生涯賃金の価値がインセンティブです。

受験勉強において、勉強が得意な人と不得意な人が費やす時間や心的負担は大きく異なります。勉強が得意な人は難関大学に進学してどんどん道が拓けるかもしれません。でも勉強が不得意な人は努力しても第一志望に落ち、就職も思う通りにいかず……大学に行ったことで不利益が生まれてしまうかもしれません。だったら、大学に行かないという選択肢もあっていい。

日本では大学受験のための勉強は無条件で称賛されます。その割に、大学に入学後の人的資本の蓄積に対しては冷淡で、博士課程を修了してもなかなか民間の就職先は見つからないし、あっても給料がそんなに上がらずリターンが極めて小さい。これがネックとなって、社会全体で高度人材の育成や活用がなかなか進んでいません。

大学にしても大学院にしても、まわりの空気に流されて人的資本への投資を受け身で決めるのではなく、ベッカー流の発想で、自分自身が直面するコストとリターンのバランスを考えながら、自分に合った投資水準を見出すことが重要でしょう。もちろん、社会人として成功して、時間にもお金にも余裕があるので勉強しなおしたいという方は、ぜひ大学や大学院にお越しください。営業トークみたいで恐縮ですが、お待ちしております（笑）。

第4会議

「経済学」と「社会学」で考える

「現実」の輪郭を描写し、確定させようとする社会学

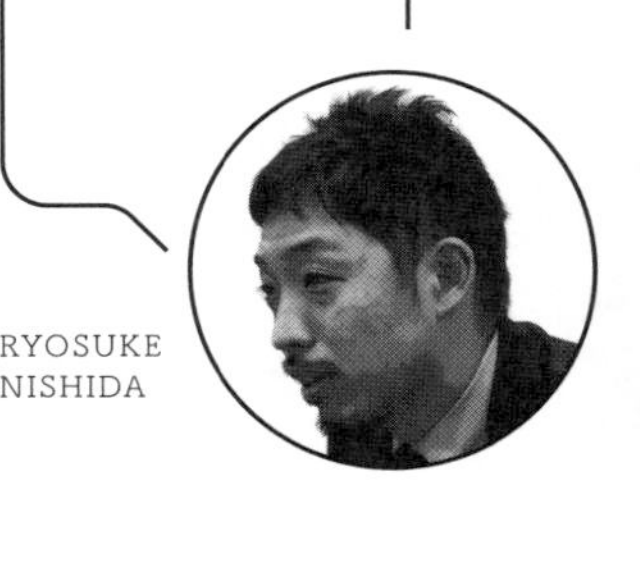

RYOSUKE NISHIDA

ここまで、ぼくは社会学、安田さんは経済学というそれぞれの学問を使って、社会のさまざまな課題を深く捉え直し、分析する。時には課題解決につながる方法を提案する。ということをしてきました。

本書の最後に、本書の思考のベースとなったそれぞれの学問、また「学びを社会で使う」ということに関してお話ししたいと考えています。

社会学は政治や社会問題を扱うとは限らない

しばしば、「社会学は社会を分析する学問なんですよね」とか、「社会学は政治や社会問題を解決するんですよね」などと聞かれますが、違います。ぼくは政治や社会問題を扱っ

ていますし、安田さんだけではなく、ぼくも規制や業界のルール形成などの実務にも関わっていますが、それらは社会学の蓄積というよりは歴史やジャーナリズム、部分的に政治学の蓄積を使った政治評論家としての側面が強いですね。

なお政治学者でもありません。政治学系の学会には入っていないし、それなりに勉強しているとは思いますが適切なトレーニングを受けたこともないからです。ぼくが入っているのは、社会学系、メディア研究の学会で、おもしろいところでいえば、縁あって応用系の小さな経済学系の学会（国際公共経済学会）にも長く入っていて、副会長2期目です。

研究者には2つのタイプがあって、1つは少数のテーマを深掘りし続けるタイプと、もう1つは社会的な仕事などを含めてどんどん手を広げていくタイプ。言うまでもなく、ぼくは後者です。ぼくの研究者としての専門はメディアと政治、行政、選挙、ジャーナリズムや社会との関係についての領域の仕事がもっとも知られているはずです。評論家的な側面と微妙に重複するのでわかりにくいですが、自分のなかでは明確に区別されています。

ちなみに、昔は政治学者以外にも新聞記者ＯＢや物書きに政治評論家がいて、政治を論評していて、ぼくもおもしろく読んできたのに、そういう人たちが激減してしまいました。

ぼくも「政治評論家」を名乗ってみようかと池上彰氏に相談したことがあるのですが、「テレビに出やすくなるけど、信頼されなくなるからやめたほうがいいよ」というアドバイスを頂戴し、いまのところ政治評論家とは名乗らずにいます（笑）。

では社会学とは何か？　一言でいえば、「社会とは何か」を説明しようとする学問といえます。理論的挑戦はうまくいっておらず、最近の研究者は応用的で具体的な対象に関する研究をしていることが多いのでよくわからないかもしれませんが、根っこはそれです。家族、政治、メディア、地域、文化と対象はさまざま。対象ごとに理論も研究者も多様で、となりのことはよくわからず、むしろ「社会とは何か」という歴史的で根源的で、おそらくは回答困難な問いくらいしか共通項がないともいえるかもしれません。でも、良くも悪くもそれが特徴です。

体系性の強弱は文理問わず学問ごとに異なりますので、「体系性が弱いから社会学は学問ではない」というような批判はまったくナンセンスです。ぜんぜん学問についてわかっていない。理系でも建築などは体系性が弱いですし、文系でも安田さんが専門の（ミクロ）経済学などはとても体系的です。そしてそもそも「体系」や「理論」が含意するものも実はそれほど共通していないというのが学問の世界なのです。

社会学の研究者が何をしているかというと、極端なことをいえば「見ている」のです。

事例やデータを正確に観察しようとしている。そのうえで理論的な含意や、先ほどの社会学の原理的な問いと言ってもよいですが「社会（秩序）とはいかにして可能か」を議論するわけです。最近の若い社会学の研究者になりたいという人は、何か具体的な問題――社会問題や対象への関心から研究の世界に入る人が多い印象です。

つまり、「社会」という概念はとても大きいですが、実際に研究者が専門として扱っている対象は小さいともいえます。「帯に短き襷（たすき）に長し」みたいなところがあって、個々の研究者が対象とするのは家族や組織など、それほど大きくないんです。こうしたギャップが社会学に対するネットでの誹謗中傷の遠因のような気がしています。

また、「社会とは何か」に関心を持ちつつも、かといって「この人は何を考えているか」のようなことはあまり論じません。個人を理解しようとするのはもともと心理学と文化人類学です。最近は、日本で社会学といえばフィールドワークといったイメージもあるかもしれませんが、昔の社会学はフィールドワークさえあまりしなかったのです。

さらに昔は「アームチェア・ソシオロジー」※といわれたりしました。シャーロック・ホームズみたいですね。19世紀から20世紀にかけての頃の話で、高校の教科書にも出てくるマックス・ウェーバーが活躍したような時代です。マックス・ウェーバーは20世紀初頭に

※アームチェア・ソシオロジー：安楽椅子探偵（自ら現場に赴かずに事件を解決する名探偵）と同じく、現地に赴かない社会学者、社会学を揶揄した呼称。

スペイン風邪が原因と見られる肺炎で亡くなっています。

マックス・ウェーバーは社会学が専門ではない人も名前くらいは聞いたことがある社会学の中興の祖であり、大きな理論的痕跡と社会学の基本的な概念を提起し、さらに政治学や経済学でも参照されることのある知の巨人ですが、彼の場合、フィールドワークに行くわけでもなく、データ分析するわけでもなく、中国や日本について言及していました。

彼の代表作の1つに『プロテスタンティズムの倫理と資本主義の精神』があります。いまの水準でいえば、記述がめちゃくちゃです。当時の中国はどうだったかとか日本についての記述もとても奇妙です。それでも資本主義の定式化の仮説や社会主義批判、近代化論、官僚制研究などに残した理論的含意はとても大きいんですね。

このように社会学の初期の時代には社会（的なもの）やその原理を理解することに対しても関心があったのですが、いまは経済学におけるインセンティブや行動経済学などが強力なツールなので、それもほぼ諦めているような印象があります。最近は思想にも近い巨大理論としての社会理論などに大きな発展や前進はあまり認められない印象です。かつてはそれこそが社会学だなどと思われていたんですけどね。

ぼくの言葉で簡潔に表現するなら、**社会学は偏在するある種のパターンを観察を通じて**

同定し、そのパターンがいかにして成立しているかを観察し、明らかにしようとする学問です。自分とは異なる「他者」とその合理性を理解する営みといってもよいかもしれません。

文化もパターン、法や規範もパターン、家族もそう。「パターン」というときのポイントは、ある程度反復性や共通性がありながらも、個別性や多様性があることです。それらを「特定のパターンである」と名指しし（概念化）、そのパターンとそれ以外がどのように区別され、その区別はどのように成立しているのかを明らかにしたり、各パターンの個別性を観察したりするというイメージです。

このような定義であれば対象は多様であり得ますし、量的手法も質的手法もあり得る。政策を扱ってもよいかもしれない。少数事例の研究も含まれるでしょう。

パターンを観察する人の集団が社会学だとすれば、家族社会学の人と、たとえばスポーツや政治を扱う人との間で理解が共有されなくても、最大公約数的に成立するということです。

つまり、それぞれの問題にそれぞれの概念セットみたいなものがたくさんあるのですが、たとえば家族社会学をやっている人は政治社会学をよくわからないなどということは往々にしてあり得るというわけです。

そうは言っても、どっちの社会の見方のほうが現実にフィットするかを競い合うとか、比較したいみたいなモチベーションはあるんですか？

社会学は当事者の動機づけを尊重する

それは一部の定量的な研究を除いて諦めているという印象です（笑）。出発点が文学や思想に近かったこともあって、モデルや理論が数式で表現されるものより、質的に記述されることが多く、現実へのフィットを競い合うという文化というか習慣が定着していない印象です。

少し前まで、社会学は科学化や体系化でほかの領域より後れを取っているという理解をしていました。ところが、最近微妙に風向きが変わってきています。大雑把には「社会学は社会学に内的なロジックを作ること＝体系化にあまり成功していないが、それは、言い方を換えれば当事者たちのロジックや動機を尊重し、開かれているということだ」と言われるようになっています。筒井淳也氏の『社会学』（2021年、岩波書店）などです。

難病当事者の例などがわかりやすいのですが、難病当事者と難病当事者を観察している人の真剣さみたいなものを比較したときに、難病当事者たちの感じているものを観察者が経験することは極めて難しいわけです。

それからそもそも、研究する人の数は当事者ほどは多くありません。ＡＬＳ（筋萎縮性側索硬化症）などでさえ、その研究者よりも当事者の数が多いでしょう。個別性や多様性の幅も大きい。そうすると学術的な知見の蓄積よりも、当事者たちの1回1回の経験に尊重されるべき知が多数含まれているのではないかと考えるのです。

科学的なモデルの一貫性みたいなものを洗練させていくこともちろん大事なんだけれど、当事者の経験なども含めて観察、蓄積することも尊重しましょうということです。それゆえ、観察から得られた知見は蓄積されていくのですが、ロジックや体系的な知の蓄積は、ほかの分野と比べて理論的に洗練されたかたちではあまりなされていないかもしれません。それは固有性というほかないのです。

社会学はやはり経験の学としての性質が強いと思います。

でも、だからこそ、社会学は規範やモデルが強い分野との相性がいいとぼくは考えています。たとえば社会学と法学は古くから相互に参照されてきましたが、これは法学はもっぱら制度の学であり、規範の学だからだと考えています。

法学者は法解釈やロジックについて理解を深めたい。でも現実がどうなっているかということについてはあまり理解をしていないし、そこはあまり本業とはいえないでしょう。そこで社会学者が観察やデータ分析などで「現実」に関するフィードバックをすると、実際には理論や法の目的通りに現実が回っていないとか、予想していなかった課題があるので別のガバナンスが必要だとか、そういった知的往復、交流がやりやすいわけです。

社会学者は少なくとも歴史的にはあまり規範的な志向を持たないはずです。「この考えであるべき」「社会はこうあるべき」とか「こういう形で変えたい」ということはあまり関心を持っていなかったはずです。むしろ望まない姿だとしても正確に知りたい。

他方で、いまもっとも強力な社会科学は経済学だと思いますが、社会学と経済学の交流はそれほど活発ではありません。少なくとも日本ではそうです。実際、過去に交流を示すような類書もあまりありません。本書はあくまで一般的な対話ですが、もっとガチというか、本格的な研究でも安田さんとコラボできたらおもしろいと思うのです。ぼくたちはたまたま政治学者の牧原出氏の研究会をきっかけに若い頃の交流を復活させ、皆で共著も出したわけですが（牧原出編『「2030年日本」のストーリー』東洋経済新報社　2023年）、もっと何かできたらいいですね。

個人のインセンティブに還元する経済学

経済学は伝統的には市場だったり、一国全体のＧＤＰや失業などを扱っているので、対象が大きい学問です。ところがここ数十年は、まさにぼく自身も研究しているゲーム理論や情報の経済学を使って、少人数での競争や協力関係もだいぶ分析できるようになってきました。たとえば、企業間の競争やカルテルの仕方や、労働者と雇用主の望ましい労働契約なんかです。お互いに顔が見える人たち同士の小集団における振る舞いに関する研究が一気に花開きました。

対象の大小にかかわらず、**経済学に典型的なアプローチは、個人のインセンティブに還元して考えることです。**ビジネスだったら個々の企業目線や、あるいは企業の反対側にいる潜在的な消費者目線で新商品の戦略が成功するか失敗するかとか、格付けがどうなるかというのもやっぱり1人1人の目線で考えます。

　ぼくたちが経済学を学ぶときに最初に叩き込まれる考え方として、実証的な分析と規範的な分析を分けよ、というものがあります。前者は事実解明的な分析ともいわれ、「現実はこうである」という姿を説明するアプローチである一方、規範的な分析は「理想はこうあるべきだ」という価値判断を伴います。

　だから経済学の場合、個人のインセンティブというかモチベーションから出発して、現実で何が起きているかも分析する。その事実解明的な分析があるので、そこのメカニズムをある程度わかった上で今度は制度とかルールを変えたら結果がこう変わるんじゃないかということを考えます。

　たとえば市場に介入したらこういうことが起きるんじゃないかとか、法律を変えたらよい影響、悪い影響が出るんじゃないかというのも、やっぱり個人の動機に反映させながら予測します。

　最終的に、何か政策介入をして結果が変わったときにそれを元の状態と比べていいか悪いかを判断して、いいと思ったらそういった政策をさらに進めることを提案する。デメリットがあるんだったらそこに警鐘を鳴らす。実証と規範的な部分の両輪でやりましょうということは最初に叩き込まれます。

経済学は実証よりモデルや理論をやっているほうがえらい（主流）というイメージがあります。

西田さんの言う「実証」は、おそらくデータを用いた統計的、計量的な分析を指していて、僕たち経済学者もよく使っています。これに対して、実証的か規範的かという整理に登場する「実証」はちょっと違う意味で使われていて、データか理論かという切り口ではなく、あくまで現実の説明を意図している分析のことを指しています。

そのため、モデル自体は実証的であることもあれば規範的な場合もあります。

世の中の振る舞いを数理モデルという地図みたいなもので描くわけですが、地図である以上は現実とまったく一緒なわけではない。粗い描写になっているのですが、粗くても使い勝手のいい描写を我々経済学者は知りたいんですね。

ちなみに、それを知って何に使うかというところが実証的か規範的かという話で、議論自体にはモデルもデータも使われます。確かに数理モデルを新しく作る人が、かつてはかなりえらく見られていたのですが、彼らが規範的というわけではありません。

いま、「モデルを作る人がえらく見られていた」と言いましたが、最近はずいぶん変わりました。

ノーベル賞の分野に皆さんご存知、ではないかもしれませんが、実はノーベル経済学賞もあります（笑）。経済学の場合は自然科学と違い、20年から40年ぐらい前の業績が時の試練を経て受賞します。

だから、受賞するときはおじいちゃん、おばあちゃんで、２０２３年度の受賞者で、経済学賞としてははじめての女性の単独受賞者ということでも注目を浴びたクラウディア・ゴールディンももう70代です。さかのぼると１９７０年代ぐらいの業績から、膨大な蓄積があっての受賞なので、タイムラグが非常に長いんです。

何をいいたいかというと、近年受賞し始めている人たちは、モデルを作る人ではなく、すでに開発されたツールを使って現実に何が起きているかを分析していく人たち。データ分析をやるような人たちの受賞が相次いでいます。潮流が完全に変わってきた印象です。２０１０年代のなかばまでは、やっぱり理論やツールの開発者がノーベル賞を受賞していたのですが、この10年で事象分析などが入ってきて、今後その傾向はさらに顕著になってくると予想されます。

社会科学における経済学と社会学

RYOSUKE NISHIDA

そういえば、社会科学のことを間違って「社会学」という人、案外いますよね。ソーシャルサイエンスの訳語が社会科学で、社会科学には経済学も社会学も含まれます。社会学はソシオロジーですが、ごっちゃになっている人は特に理系に多いですね。

そうですね。ぼくも東工大で大型プロジェクトが構想されるたびに、「社会問題が関係するから社会学の担当教員も連れてこよう」という扱いを何度も受けました（苦笑）。でも、社会学＝社会科学ではなく、社会学は社会科学の下位概念です。
基本的に多くの社会科学は人文的性質と科学的性質を兼ね備えていますが、科学と人文

社会科学系学問のマッピング

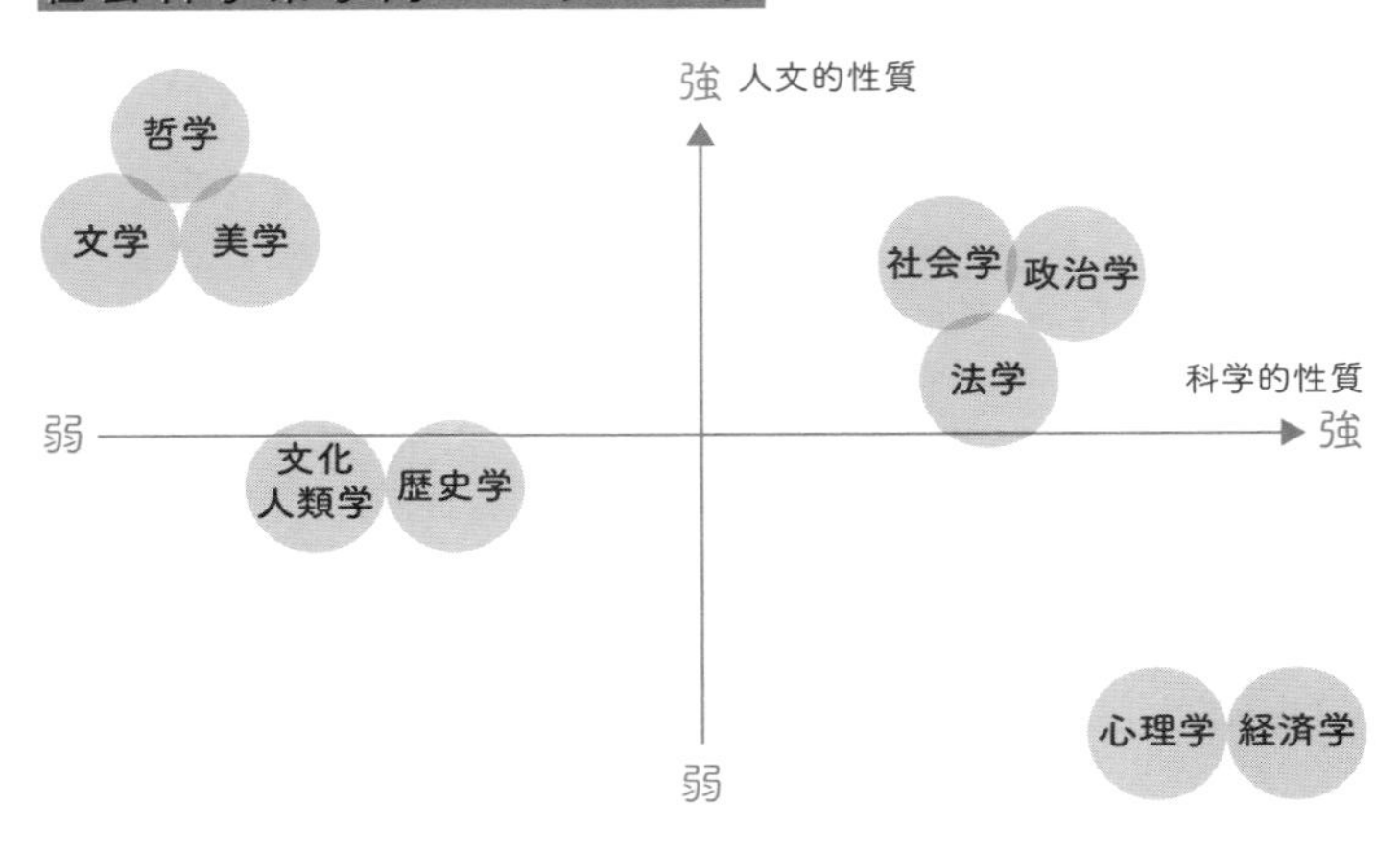

学を対極に置くとして、個別性が高くて体系性が弱い思想や哲学、文学、美学などのヒューマニティがあって、体系性が強い心理学と経済学は反対の極にあって、社会学を含む多くの人文社会科学はその間のどこかにマッピングできます。

ぼくの考えでは、社会学はどちらかといえば人文系に近いといってもよいのではないでしょうか。

大学の学部でも、社会学は文学部のなかにあることが多いです。国立大学では一橋大学にのみ社会学部があるのですが、ほかの国立大学では文学部のなかに位置づけられていることが多いですね。

社会学から枝分かれしていった学問分野

社会学は人文系に近いと述べましたが、例外もあります、法社会学という分野で、日本ではほとんど法学の先生たちがポストを占めています。

それからもう1つ、社会のほかの分野の関係でいうと、経営学は社会学から経営や組織に関する分野が独立していったものです。社会学の組織論が第2次世界大戦の頃に分かれて経営学になりました。

それから政治学も1980年頃までは社会学のツールを使っていました。数理化する前の概念的かつ思想的なツールは社会学と共有していたのです。

たとえば、タルコット・パーソンズというアメリカの社会学者の社会システム理論は、政治学でも参照されていたんですね。「社会化」という社会学の概念も政治学で独自の進化を遂げています。

要するに人間は元から人間ではなく、後天的に社会のなかで人間になるということを説明する概念です。大人になるにつれて家族や学校などから影響を受けながら人間的特質を身に着けます。その過程を**社会化**といいます。

これはフィリップ・アリエスというフランスの社会学者による「〈子供〉の発見」が起源

とされます。

アリエスは、〈子供〉というのはそれほど自明の存在ではなく、歴史的に見れば昔は現代でいう子供として扱われていたわけではないことを指摘します。子供は後天的な学びを通じて大人になっていく、すなわち社会的存在になるという「社会化」という概念から、政治学の分野で「政治的社会化」という概念が作られます。これが人は政治的主体に成長していく過程でメディアや家族、教育などの影響を強く受けるというモデルに発展していきます。

経済学と近接する社会学

経済学と社会学の近年の接点を挙げるとすれば、一般に1990年代から2000年頃のネットワークサイエンス※の流行でしょうか。グラフ理論などがそれにあたります。タンパク質の合成から人間行動、社会の原理、インターネットまでネットワークがブレイクスルーをもたらすと期待され、一定の成果を挙げましたが、社会学ではそれほどのインパクトを残さなかった印象です。私見ですが、**社会学で扱う、直接観察できるような小さな集団の場合、ネットワーク分析するほどのノード（集合点）の数がない。ネットワーク分析**

※ネットワークサイエンス：自然のものから人工物、社会の出来事などさまざまな対象をノードとエッジで構成されるネットワークとして表現し、特性を明らかにする分野。パンデミックやSNSでの連帯などを読み解ける理論として、2020年前後にも再び注目を集めた。

しても新しいことがわかるわけでもなかったという印象です。

ネットワーク分析は大きなネットワークの特徴や関係性の分析などにとってはパワフルなツールですが、逆にたとえば社会学が見るような家族や地域などに対しては、集団が小さすぎてあまりインパクトはなかったのではないでしょうか。丹念なフィールドワーカーたちが一生懸命調査してわかることとあまり変わらなかった。

もう1つは大規模なネットワークの分析になってくると、社会学で行なわずともコンピュータサイエンスや経済学が本領を発揮します。最近は計算社会科学と呼ばれていますが、大量のデータを持ってきて、強力な分析手法で関係性の分析をやってしまう。だから、やはり社会学の出番はあまりないということではないでしょうか。最近の政治学や経済学では、実験的手法の応用やウェブ調査の発展、因果推論、心理学的知見の応用などが盛んですが、それに対して社会学はどちらかといえば新しい手法の導入に積極的ではなく保守的だという印象を持っています。

\ COLUMN /

実はネットワーク分析から始まった

RYOSUKE
NISHIDA

ちなみにぼくは、修士課程のときにはネットワークサイエンスに強い関心があり、SFC（慶應義塾大学湘南藤沢キャンパス）にいた井庭崇氏が以前は複雑系のシミュレーションをやっていて、そこの研究室に所属していました。修士のときはいまと異なり、オンラインストアの共購買ネットワークについて研究していました。物と物がどう買われるかとか、物と物を人で繋ぐネットワークを作って、その分析をやっていたんです。

国際学会にも行きましたが、当時のスター研究者にアルバート=ラズロ・バラバシがいて、イギリスではじめて見たとき、たしかエクスカーションでピアノを流麗に弾いていて「かっこいい」と思いましたね。ほかにダンカン・ワッツなども当時のスターで、彼は「六次の隔たり」という手法上の問題はあるもののとても有名な社会学論文をたまたま読ん

で、人間関係のネットワークをコンピュータでモデル化できるのではないか、ということを思いついた人物です。物理系出身ですが、その後社会学の博士号も取った人です。こうした学際的で、サイエンティフィックな研究者にキャリアの初期は憧れていました。

彼らの講演を聞いておもしろいと思うと同時に、ぼくはSFC出身で体系的なトレーニングが不足していて、数学やプログラミングは少しはできたものの、キャリアを通して戦っていくには難しいかもしれないと思ったんです。そのときに、もっとナラティブな方向、個別性や閉鎖性の高い領域を扱わないと長いキャリアを生き残れないのではないかということを直感しました

理論は捨象や数理的洗練を通じて研ぎ澄まされているため、「現実」の出来事には、原理原則に対してローカルな誤差、個体差のようなものが存在します。モデルと現実のギャップです。しかもそれは応用や社会実装でも必要になるんですね。

だからこそ、その世界だと生きていけるかもしれないと思い、政策や歴史、フィールドなど、いわゆるサイエンスとは別の応用的な領域をやり始めました。同時にぼくは昔から文学と作家が好きで、結構読んでいます。たとえば川端康成の視線は究極の社会学ではないかと思うことすらあります。三島由紀夫は評論もうまい。かくして、文学や文芸評論の知見も取り入れながら、現在に至っています。

※アルバート＝ラズロ・バラバシ（1967年〜）：理論物理学者。インターネットから細胞内化学反応まで、さまざまに複雑なネットワークに共通して見られるつながりの構造発見で注目を浴びる。
※六次の隔たり（Six Degrees of Separation）：すべての人や物事は6ステップ以内でつながっており、友達の友達を介して世界中の人々と間接的に知り合いになることができるというダンカン・ワッツの仮説。スモール・ワールド現象の一例。

数理的な分析に偏っていた日本の経済学

YOSUKE
YASUDA

前節では、日本で社会学があまり数理化しない背景を西田さんの自分史を紐解きながら理解できた気がしますね。

１９９０年代に数理的な分析が少し流行って、２０００年前後にネットワーク分析という社会学での流行があったと言う話がありました。一方でこのネットワーク分析のスーパースターを見て、自分はそこに入るまいと西田さんは考えたと。

経済学に関していうと逆かもしれなくて、世界の経済学会のなかで日本人が活躍していた分野は、むしろ数理的な分析に極端に偏っていました。

やっぱり論文を書く際の英語の問題があったりしたからだと思うんですけど、古くは森嶋通夫氏※とか宇沢弘文氏※もそうですし、世間的にはあまり有名ではないですが根岸隆氏※。

※森嶋通夫（1923年～2004年）：ロンドン・スクール・オブ・エコノミクス（LSE）名誉教授。日本人初のエコノメトリック・ソサエティー（計量経済学会）会長に就任。
※宇沢弘文（1928年～2014年）：東京大学卒業後渡米。シカゴ大学経済学部教授を務め、帰国後には水俣病など現実社会の問題解決にも取り組んだ。「哲人経済学者」の異名を持つ。

この先生方は経済学の世界でもっとも権威のある国際学会のEconometric Society（計量経済学会）の会長になりました。日本人でなったのはお三方だけですが、皆さん一流の数学、応用数学みたいなことをやっている人たちでした。

彼らには、当然弟子がたくさんいます。つまり、「数理分析に関しては日本にいる恩師が圧倒的にできる」という環境ができていた。

それが世代を超えていい伝統になったからなのか、あるいはそれがあったせいで理論系の分野に優秀な人材が偏在してしまったからなのかは分かりませんが、いずれにしても数理研究に強い土壌がありました。

ぼく自身も振り返ってみるとゲーム理論を勉強することになりましたが、東大時代の直接の先生は神取道宏（かんどりみちひろ）氏です。いままさに世界のゲーム理論ソサエティ（Game Theory Society）の会長をやっている方で、日本に世界のトップクラスの先生がいたんですよね。

このように、ずっと数理分析に偏重してきた日本の経済学者のなかで、ネットワーク分析をやる人はそんなに多くはないのですが、少しはいます。

経済学は理論やミクロデータをたくさん集めて現実の分析をするのを好む傾向があるのですが、人と人や企業同士がどんなふうにつながってるかというネットワーク構造には伝

※根岸隆（1933年〜）：東京大学名誉教授。一般均衡理論、貿易理論、経済学説史などに取り組む。宇沢弘文、小宮隆太郎とならび、東大経済を代表する巨匠の1人。

統的にあまり目を向けてきませんでした。

とはいえ、相互関係みたいなものはあって、社会学でネットワーク分析が使われるようになって、それを部分的に取り入れた研究とかっていうのはある程度は出てきています。ただメインストリームにはなっていません。

やっぱり、つぶさにネットワークを見ても、そこでわかることは、当初期待してたほど多くなかったのだと思います。つながりを見える化すると、つながりが見えないときと比べればリッチな分析ができるのは当然ですが、それ以上に割と単純な金銭的なインセンティブや人間心理のような違うファクターのほうが経済現象を説明するときにインパクトが大きいという話かもしれません。

政治学と不可分だった経済学・社会学

また、政治学も社会学との関連が非常に古いと西田さんがご指摘されましたが、経済ももともとはポリティカルエコノミーと呼ばれたくらいで、政治経済学という分野だったわけです。アダム・スミスの時代などはまだ政治と経済はほぼ不可分でした。

そういう時代が長らく続いて、あるときから政治についてはポリティカルサイエンスになって、経済についてはエコノミクスが出てきました。

ポリティカルエコノミーがエコノミクスと呼ばれるようになって、いまの政治学をやっている人は、もともとは社会学に近いほうから来ているのではないでしょうか。

正確に言うと今日の経済学が昔は政治経済学と呼ばれていて、政治学は昔、社会学とオーバーラップしていたということかもしれません。

ナラティブな経済学

ここまで社会学と経済学について、それらをつなぐネットワークや政治といったキーワードで見通しを整理してきました。そのうえで混乱することを言うと、経済学のなかにもマルクス経済学というものがあります。ざっくり申し上げると、マルクス経済学は先ほどの西田さんの整理だと極めて社会学的なものです。

マルクス経済学はあんまりミクロのデータや理論を見るものではないんです。社会の空気、雰囲気を大上段に構えて分析するほうが多い学問です。

日本では、近代経済学とも呼ばれる通常の経済学に対してマルクス経済学が伝統的に強かったという歴史があります。数十年前まではマルクス経済学のほうが主流だったんじゃないかというくらいで、研究の土壌があるんです。

本人が意識してなくても、近代経済学をやっている人でも何となくマルクス経済学的な発想を持っていた人も多かったはずです。

たとえば日本人でノーベル賞を取ってもおかしくないといわれていた青木昌彦氏だったりとか、宇沢弘文氏とかもマルクス経済学にかなりインスパイアされています。

近代経済学とマルクス経済学は一般には別物、水と油のように思われがちです。しかし、歴史的経緯を踏まえると、ぼく自身はマルクス経済学を「混ぜるな危険」と扱うのではなく、彼らの発想やアプローチをうまく主流派の人たちが理解できるツールで汲み取っていくほうが生産的で、海外と比べた優位性もあるように感じています。

マルクス経済学は、ぼくらぐらいの世代までは勉強させられました。経済原論という名前で、基本的な一般教養みたいな感じで。社会学のなかにも数理社会学といわれる分野をやってる人がいますよね？　ああいうのは学会全体で見るとマイナーなんですか？

マイナーですね。世界的にもあまりポピュラーとも限りません。アメリカと欧州でかなり異なります。データ分析は主流ですが、日本で数理社会学というとゲーム理論やオペレーションズ・リサーチなどに近づいていく気がしますが、それはいまでは、かなりマイナーになっています。それにしても、経済学と社会学は案外、同じ山を別の方向から登っていっているのかもしれません。

同じ経済学者同士だとしても、どこに目を向けるかで結論は変わります。だから経済学と社会学で結論が変わるというより、そもそも分析のフレームワークが違うというか、典型的に注目するポイントが違っているので、それが分析結果にも表れてくる、なんていうことかもしれません。

結論、政策提言とかが変わってくるというのは、両者に何か違いがあるかもしれないからというわけではないですよね。逆に言うと、分析視点が全然違っても出てくる結論は同じだということもあります。

\ COLUMN /

経済学者は未来を予測できるか？

YOSUKE YASUDA

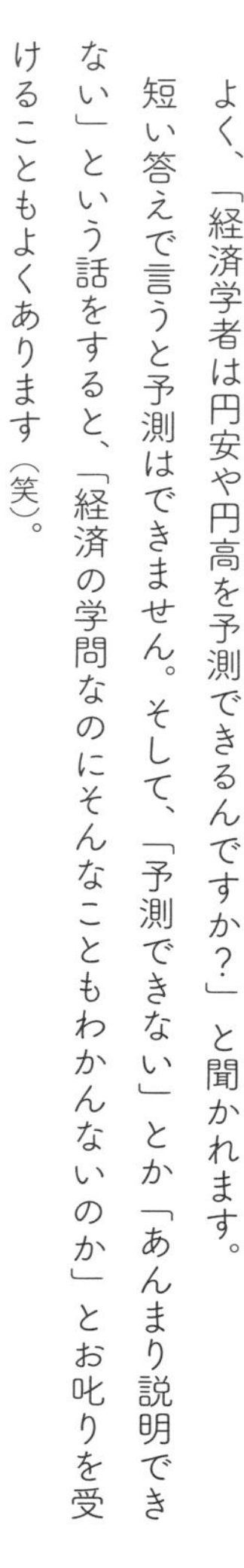

よく、「経済学者は円安や円高を予測できるんですか？」と聞かれます。

短い答えで言うと予測はできません。そして、「予測できない」とか「あんまり説明できない」という話をすると、「経済の学問なのにそんなこともわかんないのか」とお叱りを受けることもよくあります（笑）。

一応ぼくからの言い訳としては、特に為替や株価について、なぜ予測できないかは実は簡単に説明できます。

たとえば、いま1ドルが150円だとします。来週は140円ぐらいまで円高になることがわかったとしましょう。「こういう経済理論によると、10円くらい円高になりそうだ」と。ほぼ確実に140円になるという考え方があったときに、それを経済学者が世間に広めると、みんな来週は140円になるんだとわかります。

すると、「だったらいま、150円のうちに手元のドルを売って円を買っておけば儲かる」と多くの人が気づくはずです。

ところが、そうしてみんなが持っているドルをバーッと売って円に換えようとすると、150円だった相場がすぐに、どんどん円高になって140円に近づいてしまいます。

つまり、具体的な数字で、将来為替がいくらになるとわかると、人々の行動が変わってしまうんです。**結果的に、1週間後に為替レートが変わるはずだったのに、いま変わってしまうということになります。なので「予測はできない」ということなんですよね。**

株に関しても同じで、近い将来株価が上がるという、カッコつきではありますが正しい予測があったとすると、「上がる前に買っとけば儲かるじゃん」とみんながいますぐ買おうとする。そうすると、株価は近い将来ではなく、いますぐ上がってしまいます。


この理屈から転じて、経済学とかファイナンスの世界でいわれるのは、「情報が出た瞬間に相場が動く」ので予測できない、ということです。たとえば実際の売り上げや収益が確定するのは1カ月後でも、いまの時点で「業績が上がる」というようなニュースが出たら、正式な発表の前にその企業の株価は上がります。

なので、ニュースが出た瞬間にそれが将来起こることを織り込んで、為替であったり、株価が変わっちゃう。ってことは、「将来のあるパターンに基づいて値段が変わります」みたいな予測は絶対に当たらないってことですね。

だけど、新聞とかに出てくるエコノミストやアナリストは予測しますよね？　しかも、人によってかなりバラバラです。

アナリスト、エコノミストは、それぞれの見方を説明しているんです。自分の相場の見方とか経済観によると、今後この分野の業績が上がってくるとか、あるいは国レベルでの経済の動きに対してこういう見立てがあるので、日本の通貨は値上がりしていくでしょう、円高になっていくでしょうって。その人の経済観を為替や株価を通じて伝えているんですよね。だから、人によって見方が違うのは当然です。

そういうのをある意味総合して、ぼくがミクロだけでなくマクロ経済もたまに見るプチ専門家として言えるのは、「株が上がると思う人もいれば下がると思う人もいる」と。円高になると思う人が増える一方で円安になると思う人もいる。そういう人たちが釣り合っているいまの相場になっているということです。

なので現在の相場や資産価格はある意味、投資家たちの多数決の結果、そこに落ち着いているという目安のようなもの。それとは違う予想をするエコノミスト・アナリストがいることは全然不思議ではないんです。

ただ相場からずれた予想をしている人がいるということは、逆の見立てをしている人は必ずいる。そういう注意をしつつ、でも誰々の見立てはすばらしいと思えば、特定のアナリスト・エコノミストを信じても全然いいと思いますし、自分のなかで経済とか、個々の企業の動向を考える材料にできれば、有益な情報の使い方なんじゃないかなと思います。

ディシプリンの可能性と有限性

YOSUKE
YASUDA

いよいよ本書も終盤ですが、経済学と社会学をつなぐワードとして「ディシプリン」というものに言及して終えられればと考えています。

ディシプリン、つまり学問における規律であったり、訓練方法だったりのことです。

経営学者で早稲田大学大学院教授の入山章栄(いりやまあきえ)氏とかが「経営学、商学を修めている人はディシプリンがあまりない」とよくおっしゃっています。

反対に経済学や心理学などは体系化されたテキストがちゃんとある。文学とかは当然ないわけです。社会学はおそらく中間ですよね。

ディシプリンが確立することにより、共通言語で専門家同士の会話ができるようになったり、一定の作法を踏まえたうえでの研究蓄積が見られるのはメリットかもしれません。

一方、**体系化されると、その枠にとどまるような、収まっている研究しか出てこなくなってくるという弊害もあります。**

一例を挙げると経済の問題でも、経済学者が分析するフレームワークから抜け落ちがちな論点、たとえば格差とか搾取とか、古いマルクス経済学で言う人間疎外がなぜ起きるかということについて、実はいまの人はとても関心があるんだけれども主流派の経済学者はほとんど建設的な提言とか、民意に寄り添うような分析ができていません。だからこそ、マルクス経済学者の斎藤幸平氏がウケているわけですよね。

マルクス経済学は同じ経済学とつくものの完全に文学寄りで、体系化されたテキストもほぼないですし、古典であるところのマルクスの見方も研究者によって違います。なんなら論文等を通じて行なっている主張も、言葉の定義が違うかもしれないから噛み合ってないみたいなことが起きるんですけれども、それは文学作品の批評とかとまったく同じじゃないですか。でもそういうものこそ、一般の人から見ると何となく腹落ちするとか共感できることもあると。それはぼくたち、俗にいう近代経済学者には無理なんです。

どうでしょう。そんなにいいものかなとはよく思いますけどね。多くの場合においては平均的な議論の水準は、ある程度型が決まっているほうが高くなりそうですし、学習も効率的で、洗練もされていきそうな気がします。

ぼく自身もディシプリンが割としっかりしている経済学の世界にずっといたのでディシプリンがまったくないというのは想像できません。

とはいえ、デメリットは確かにあって、ディシプリン自体を超えていくような発想が生まれにくいとか、研究が小さくなりがちです。でもそれは研究者の心意気次第で乗り越えられるかもしれないハードルですが。

理想を言うと、**ある程度のディシプリンは共有して、専門家向けの作法が共通理解になっているもとで研究実績を上げる。そこから少し大胆に踏み出すようなこととか、異分野との対話をやる人も出てくるというのがベストかもしれません。**

ディシプリンがあるがゆえにがんじがらめになるのではなく、そこから出てくる人もある程度いるのが理想ですが、往々にしてディシプリンが強固な分野になればなるほど外に出て行きにくくなってしまうんですよね。

そこをどうやって乗り越えるかというのが難しい。

査読付国際ジャーナル文化みたいなものもディシプリンが強い分野であればあるほど強くなるので、経済学もそうですが、研究者が認める英文の査読つきジャーナルに何本出せるかがとにかく重視されます。それ以外の書物とか、それこそエッセイ的なものはまったく評価されない。一般向けに日本語の本を出しても、まったく評価されません。その結果、どんどん自分たちの殻に閉じこもってしまう。経済学はちょっとそういう方向に行きすぎている気もします。

ディシプリンのメリットと外れ値の許容が意味するもの

RYOSUKE NISHIDA

安田さんはディシプリンについてややネガティブな面をお話しされましたが、反対にぼくはポジティブに捉えているというお話をします。

前提として、学者の大半は、「基本的にディシプリンはあったほうがいい」と思っているはずです。経営学者しかり政治学者しかり、最近では社会学者しかりです。

ところが、そうでもないというようなことを言い出す研究者が出てきて少しおもしろいと思っています。

たとえば前述の筒井淳也氏の『社会学』という本には、一般的に社会学は体系性の弱さをずっとコンプレックスに感じてきていて、ウィークポイントだと考えてきた。ただ、体系性が弱いことは別の見方をすれば、現場に対して謙虚であるといえないか、という旨のことが書かれていて、とても刺激を受けました。

社会学は外れ値を見る学問でもあります。

あるデータ群を理解するために、近似線を引く比較的シンプルな方法として最小二乗法があります。データの差分、すなわち距離の二乗の和が最小になる一次関数（Y＝aX＋b）を求めます。この関数をシンプルな「モデル」と捉えることができます。

工学系の人たちと仕事をしたときに知ったのですが、彼らは上の外れ値、下の外れ値問わず、カットオフといってかなり大胆に切ってしまう。工学の人たちにいわせると、大きな外れ値は計測誤差とみなすというわけです。

センサーの誤作動などを念頭に置くと確かに合理的です。本格的な分析の前の作業として実施され、「データ・クリーニング」と呼ばれます。

それはそれで理解できます。外れ値は多くの場合、観測誤差です。

ただ、多くの場合はセンサーの誤作動などが原因ですが、たまにはそうではない重要な理由があるかもしれません。そこには何らかの可能性があるかもしれないと考えるのが、事例研究やフィールドワークをする人たちです。

外れ値をいちいち見ていくと、基本的には歩留まりが悪く非効率です。でも、たまに何か意味があることがあるかもしれない。**それはやってみなければわからないわけですよね。社会学は「歩留まりの悪さ」や非効率を許容する寛容な学問だといえます。**

難病研究者を例にとった話を前述しました。これも社会学が外れ値みたいなものを許容する分野であるからこそ可能で、外れ値については当事者とか、現場の人たちのほうが多くの知見を持っているということを前提にしています。そうであれば、難病当事者の個々の経験や知見などの蓄積は、研究者が持っている知見よりも深くて体系的である可能性があるというわけです。

だから研究者はディシプリンよりも現場の人たちの言葉に強い関心を向け、積極的に理解しようとするということではないでしょうか。そういうことに開かれているのがディシプリンの弱さと表裏一体なんだとすれば、「なるほど！」と感じます。

ただし、歩留まりの問題で、ディシプリンと教育プログラムがしっかりしている学問のほうが、平均的なクオリティは高いのではないかという気がします。

ディシプリンのあるメリット、デメリットをお互いがうまく活かせるといいということですよね。本書はそれをまさに実践した、とてもよくわかる冒険的な本になったと感じます。

After discussion 04

奇妙でおもしろい社会学の魅力

西田亮介

社会学って（いい意味で）変なスターがいっぱいいるんですよ。国内にも国外にも。

ぼくの師匠の宮台真司（みやだいしんじ）氏も（よくも悪くも）よく知られていますし、東工大の社会学講座で、ぼくの前任だった橋爪大三郎（はしづめだいさぶろう）氏も、著作が各種入試で頻出しよく知られています。

ぼくが好きな社会学者を3人だけ挙げておくと、アンソニー・ギデンズ（第3会議で言及した、政治、教育に深く携わり、学術出版社も起業した多彩な研究者）、ハワード・ベッカー（ストリート文化の研究者でピアノに秀でていた）、マックス・ウェーバー（231ページ参照）がいます。ウェーバーは、精神的な病を抱えていたり、政界に打って出てみたりと、よくわからないキャリアを歩んでいます。それでも現代でも顧みられる重要な仕事をいくつも残している。そんなところも惹かれます。

近年、社会学に限らず、体系化と自然科学のわかりやすい一部の分野の尺度を用いた評価が広がっています。

でも、なぜか、それぞれの時代で異彩を放った社会学者たちはとても自由で、輝いて見えます。

社会学は周辺のさまざまな分野と乗り入れています。たとえば法学、政治学、経営学（組織論）、哲学、フェミニズム、そして評論です。

こうした境界領域にもまた多くの魅力的な仕事が存在します。ドイツの「フランクフルト学派」は主に第2次世界大戦後から現在に至るまで、フランクフルト社会研究所とそこに集ったさまざまな研究者たちの現実と批判的に切り結ぶ仕事の総称です。日本にも、前述の宮台真司氏や橋爪大三郎氏に加え、小室直樹（こむろなおき）氏など、学問の枠にとどまらず、広く一般の読書人、教養人たちに愛読され、また社会と切り結んできた社会学者の系譜があります。

前述のとおり、ぼくは社会学者としても、かなり邪道というかアウトサイダーです。でも、怪しくて、おもしろい社会学の世界なら隅っこに置いておいてもらえる……気がしますが実際はどうでしょう（笑）。

安田さんのようにグローバルには活躍していないかもしれませんが、東工大と東大、そして現在は日大というかなり性質の異なる大学で並行して教鞭を取っています。この経験はかなり珍しいと思われるだけではなく、ぼくの「社会学者としての目」を磨いてくれています。規制実務やメディアの実務などをはじめとして、それなりに楽しく一般に役に立つこともあるような仕事もしてきました。それらについては機を改めてお話ししましょう。読者諸兄姉の皆さま、またどこかでお目にかかった暁にはよろしくお願いいたします。

おわりに

　本書の制作は、2023年10月、西田さんからの1通のメールで始まりました。「共著企画がある出版社で正式に決まった」という内容のメールだったと記憶しています。「はじめに」で西田さんも言及している通り、ぼくたち2人は意外と長いつきあいです。学会、研究会をはじめとしたさまざまな機会に同席し、議論を交えたことは何度もありました。硬派な学術研究の枠にとどまらず、論破系の言論バトル（？）でその論客としての才能も発揮される西田さん。研究会でも会うたびにツッコミが鋭くなり、つい楽観的な発言を不用意にしてしまう僕は「あー、やっぱり西田さんにそこを突かれたか」と彼の指摘の鋭さに舌を巻いたことも数知れず。

　そんな同世代を代表する社会学者であり論客の西田さんと、たっぷり時間をとって日本の社会課題をじっくり語れる。いったいどんな本になるのかは想像もつきませんでしたが、「楽しくないわけないじゃん！」と思い二つ返事でお引き受けしました。いま、本書のゲラを手にして、それが正しい決断だったと確信しています。

　本書の対談を通じて、読者の皆さんはもしかしたら、日本の社会に横たわるさまざまな難問に気づいたと感じているかもしれません。「日本、大丈夫じゃないのでは」と不安になった方もいるでしょうか。

そんな皆さんには「マイナスのほうが心理的なインパクトが大きい」というお話を最後にお伝えしたいと思います。心理学で損失回避、ロスアバージョンと呼ばれるものです。人は、得てして損をすることを嫌います。実は、損をしたときのダメージのほうが利益を得た喜びより強く感じられることは広く知られる事実です。

ぼくたちは、本能的に「できるだけ損をしない」ように行動したくなるのです。ですから、マイナスのニュースのほうが通常は刺さります。世界中で国際紛争が起こっている。日本でも海外でも凶悪犯罪が起きている。諸外国ではテロも頻発し、政治は腐敗し……と、マイナスの事象を見れば限りなくあるように感じます。

ところが、それは損失回避という心理のくせがなせる技かもしれません。

損失回避の心理から抜け出す方法として有効なのは、バラバラとそこらじゅうに散らばるマイナスの事象を単独で見ないこと。いくつもの事象を並べ、共通する背景やプラスの事象も見つめることです。

これに役立つのが、ぼくが専門とする経済学です。

経済学では、「経済理論」という型を使って、それらバラバラに見える社会問題に共通のメカニズムを見出し、解決につながるようなインセンティブを調整することを探ります。

他方、本書のコラムでも言及しましたが、社会学はもっと具体的な、1つ1つの問題を見ていく学問です。本書では西田さんがいつも日本を憂い、ネガティブな情報を提示する。反対に安田は妙にポジティブなことを言っている。そう感じるかもしれませんが、それこそが経済学と社会学、2つの学問の際立った差異なのかもしれません。

本書の目的の1つとして、ぼくは経済学と社会学という社会科学系の2つの学問のユニークさ、違い、共通点などを含めた、学問それ自体のおもしろさを感じてもらいたいと考えていました。本書の議論を通じて、皆さんに少しでもそのように感じていただけたら幸いです。

最後に、本書は、2023年秋から2024年春にかけての対談を書き起こす形で制作が進められました。制作の過程で幾度も手を入れたものの、加筆修正は最低限に留めました。議論のライブ感をそのまま読者に届けたいという、僕たちの意思と編集部の強い意向によるものです。本書が、読者の皆さんの「世界の見方」の土台を作る一助になればと願っています。

2024年5月　安田洋祐

西田亮介（にしだ　りょうすけ）
日本大学危機管理学部教授／東京工業大学特任教授。博士（政策・メディア）。専門は社会学。1983年京都生まれ。著書に『メディアと自民党』（角川新書、2016年度社会情報学会優秀文献賞）、『コロナ危機の社会学』（朝日新聞出版）、『ぶっちゃけ、誰が国を動かしているのか教えてください　17歳からの民主主義とメディアの授業』（日本実業出版社）ほか多数。

安田洋祐（やすだ　ようすけ）
大阪大学経済学部教授。専門は経済学。1980年東京生まれ。ビジネスに経済学を活用するため2020年に株式会社エコノミクスデザインを共同で創業。メディアを通した情報発信、政府の委員活動にも積極的に取り組む。著書に『そのビジネス課題、最新の経済学で「すでに解決」しています。』（日経BP・共著）、監訳書に『ラディカル・マーケット　脱・私有財産の世紀』（東洋経済新報社）など。

経済学×社会学で社会課題を解決する
日本の未来、本当に大丈夫なんですか会議

2024年6月20日　初版発行
2024年8月1日　第2刷発行

著　者　西田亮介 ©R.Nishida 2024
　　　　安田洋祐 ©Y.Yasuda 2024
発行者　杉本淳一

発行所　株式会社日本実業出版社　東京都新宿区市谷本村町3−29 〒162−0845
編集部　☎03−3268−5651
営業部　☎03−3268−5161　振　替　00170−1−25349
https://www.njg.co.jp/

印刷・製本／リーブルテック

ISBN 978−4−534−06113−3　Printed in JAPAN